nuovo
PROGETTO ITALIANO

2a

T. Marin
S. Magnelli

Corso multimediale
di lingua e civiltà italiana

B1
QUADRO EUROPEO DI RIFERIMENTO

Libro dello studente

EDILINGUA

www.edilingua.it

T. Marin dopo una laurea in Italianistica ha conseguito il Master Itals (Didattica dell'italiano) presso l'Università Ca' Foscari di Venezia e ha maturato la sua esperienza didattica insegnando presso varie scuole d'italiano. È direttore di Edilingua, autore di diversi testi per l'insegnamento della lingua italiana: *Nuovo Progetto italiano 1, 2 e 3* (Libro dello studente), *Progetto italiano Junior* (Libro di classe), *La Prova Orale 1 e 2, Primo Ascolto, Ascolto Medio, Ascolto Avanzato, l'Intermedio in tasca, Ascolto Autentico, Vocabolario Visuale e Vocabolario Visuale - Quaderno degli esercizi* e coautore di *Nuovo Progetto italiano Video* e *Progetto italiano Junior Video*. Ha tenuto numerosi workshop sulla didattica in tutto il mondo.

S. Magnelli insegna Lingua e Letteratura italiana presso il Dipartimento di Italianistica dell'Università Aristotele di Salonicco. Dal 1979 si occupa dell'insegnamento dell'italiano come LS; ha collaborato con l'Istituto Italiano di Cultura di Salonicco, nei cui corsi ha insegnato fino al 1986. Da allora è responsabile della progettazione didattica di Istituti linguistici operanti nel campo dell'italiano LS. È coautore dei Quaderni degli esercizi di *Progetto italiano 1 e 2*.

Gli autori e l'editore sentono il bisogno di ringraziare i tanti colleghi che, con le loro preziose osservazioni, hanno contribuito al miglioramento di questa nuova edizione.
Un sincero ringraziamento, inoltre, va agli amici insegnanti che, visionando e provando il materiale in classe, ne hanno indicato la forma definitiva.
Infine, un pensiero particolare va ai redattori e ai grafici della casa editrice, senza i quali la realizzazione di questo libro non sarebbe stata possibile.

a mia figlia per tutto quello che, inconsapevolmente, mi dà
T. M.

© Copyright edizioni Edilingua
Sede legale
Via Alberico II, 4 00193 Roma
Tel. +39 06 96727307
Fax +39 06 94443138
info@edilingua.it
www.edilingua.it

Deposito e Centro di distribuzione
Via Moroianni, 65 12133 Atene
Tel. +30 210 5733900
Fax +30 210 5758903

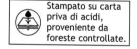

Edilingua sostiene
act!onaid

Grazie all'adozione dei nostri libri, Edilingua adotta a distanza dei bambini che vivono in Asia, in Africa e in Sud America. Perché insieme possiamo fare molto! Ulteriori informazioni sul nostro sito.

I edizione: maggio 2013
ISBN: 978-960-7706-75-1
Redazione: Antonio Bidetti, Gennaro Falcone, Viviana Mirabile, Laura Piccolo
Edizione aggiornata del *Quaderno degli esercizi* a cura di Lorenza Ruggieri
Impaginazione e progetto grafico: Edilingua
Foto: M. Diaco, T. Marin
Illustrazioni: Lorenzo Sabbatini, Massimo Valenti
Registrazioni: *Networks Srl*, Milano
Testi e attività video: M. Dominici, T. Marin

Stampato su carta priva di acidi, proveniente da foreste controllate.

Gli autori apprezzerebbero, da parte dei colleghi, eventuali suggerimenti, segnalazioni e commenti sull'opera (da inviare a redazione@edilingua.it)

Premessa

Nuovo Progetto italiano 2 è il frutto di una ponderata e accurata revisione, resa possibile grazie al prezioso feedback fornitoci negli ultimi anni da tanti colleghi e colleghe che hanno usato il libro. Si sono tenute presenti le nuove esigenze nate dalle teorie più recenti e dalla realtà che il Quadro Comune Europeo di Riferimento per le Lingue e le certificazioni d'italiano hanno portato. La lingua moderna, le situazioni comunicative arricchite di spontaneità e naturalezza, l'utilizzo di materiale autentico, il sistematico lavoro sulle quattro abilità, la presentazione della realtà italiana attraverso brevi testi sulla cultura e la civiltà del nostro Bel Paese, un'impaginazione moderna e accattivante che facilita la consultazione fanno di *Nuovo Progetto italiano 2* uno strumento didattico equilibrato, efficiente e semplice nell'uso.

Nuovo Progetto italiano 2 pensiamo sia ancora più moderno dal punto di vista metodologico, più comunicativo e più induttivo: si invita costantemente l'allievo, sempre con l'aiuto dell'insegnante, a scoprire i nuovi elementi, grammaticali e non. L'intero libro è un costante alternarsi di elementi comunicativi e grammaticali, allo scopo di rinnovare continuamente l'interesse della classe e il ritmo della lezione, attraverso attività brevi e motivanti. Ogni unità è stata suddivisa in sezioni per facilitare l'organizzazione della lezione.

La struttura delle unità (per maggiori suggerimenti si veda la Guida per l'insegnante)

- La pagina introduttiva di ogni unità (*Per cominciare...*) ha lo scopo di creare negli studenti l'indispensabile motivazione iniziale attraverso varie tecniche di riflessione e coinvolgimento emotivo, di preascolto e ascolto.
- Nella prima sezione dell'unità, l'allievo legge e/o ascolta il brano registrato e verifica le ipotesi formulate e le risposte date nelle attività precedenti. Questo tentativo di capire il contesto porta ad un'inconscia comprensione globale degli elementi nuovi. Alcuni dialoghi introduttivi sono presentati in maniera più motivante, attraverso il ricorso a differenti tipologie, in modo da rendere più partecipe lo studente durante l'ascolto.
- Il dialogo introduttivo è spesso seguito da un'attività, che analizza le espressioni comunicative (modi di dire, espressioni idiomatiche), nella quale si invita lo studente a scoprirle in maniera induttiva e senza estrapolarle dal loro contesto.
- In seguito, lo studente prova a inserire le parole date (verbi, pronomi, preposizioni ecc.) in un dialogo simile, ma non identico, a quello introduttivo. Lavora, quindi, sul significato (condizione necessaria, secondo le teorie di Krashen, per arrivare alla vera acquisizione) e inconsciamente scopre le strutture. Un breve riassunto, da svolgere preferibilmente a casa, rappresenta la fase finale di questa riflessione sul testo.
- A questo punto l'allievo, da solo o in coppia, comincia a riflettere sul nuovo fenomeno grammaticale cercando di rispondere a semplici domande e completando la tabella riassuntiva con le forme mancanti. Subito dopo, prova ad applicare le regole appena incontrate esercitandosi su semplici attività orali. Un piccolo rimando indica gli esercizi da svolgere per iscritto sul *Quaderno degli esercizi*, in una seconda fase e preferibilmente a casa.
- Le funzioni comunicative e il lessico sono presentati con gradualità, ma in maniera tale da far percepire allo studente un costante arricchimento espressivo delle proprie capacità di produzione orale. Gli elementi comunicativi vengono presentati attraverso brevi dialoghi o attività induttive e poi sintetizzate in tabelle facilmente consultabili. I *role-plays* che seguono possono essere svolti sia da una coppia davanti al resto della classe oppure da più coppie contemporaneamente. In entrambi i casi l'obiettivo è l'uso dei nuovi elementi e un'espressione spontanea che porterà all'autonomia linguistica desiderata. Ogni intervento da parte dell'insegnante, quindi, dovrebbe mirare ad animare il dialogo e non all'accuratezza linguistica. Su quest'ultima si potrebbe intervenire in una seconda fase e in modo indiretto e impersonale.
- I testi di *Conosciamo l'Italia* possono essere utilizzati anche come brevi prove per la comprensione scritta, per introdurre nuovo vocabolario e, naturalmente, per presentare vari aspetti della realtà italiana moderna. Si possono assegnare anche come attività da svolgere a casa.
- L'unità si chiude con la pagina dell'*Autovalutazione* che comprende brevi attività soprattutto sugli elementi comunicativi e lessicali dell'unità stessa, così come di quella precedente. Gli allievi hanno a disposizione le chiavi, ma non sulla stessa pagina, e dovrebbero essere incoraggiati a svolgere queste attività non come il solito test, ma come una revisione autonoma.

Edizione aggiornata del Quaderno degli esercizi

La decisione di realizzare una "edizione aggiornata" del Quaderno degli esercizi di *Nuovo Progetto italiano 2* è stata dettata dalla necessità di voler offrire all'insegnante e allo studente un rinnovato strumento, di lavoro e di studio. Non siamo partiti dal presupposto di modificare radicalmente il Quaderno del corso di lingua, ma ci si è messi al lavoro con la consapevolezza di voler apportare dei miglioramenti. I principali punti su cui siamo intervenuti riguardano:

- una maggiore coerenza di lessico tra Quaderno degli esercizi e Libro dello studente. In questa versione aggiornata del Quaderno figurano, tranne rare eccezioni, soltanto termini che lo studente incontra nel Libro;
- sono state utilizzate diverse tipologie di esercizi, contestualizzandoli e utilizzando spesso materiale autentico per avere una maggiore varietà ed evitare la ripetizione;

- una particolare attenzione è stata data alle strutture e alle parole incontrate in unità precedenti, le quali vengono sistematicamente riprese in quelle successive in un approccio a spirale;
- ogni unità è stata arricchita con uno o due esercizi di reimpiego sugli elementi lessicali o comunicativi trattati;
- sono state riviste tutte le istruzioni affinché non creino problemi di comprensione agli studenti;
- le Attività video (dei soli "episodi") sono ora poste al termine di ogni unità per integrare meglio il video alle altre risorse che compongono il corso, per creare una diretta connessione tra corso cartaceo e *Nuovo Progetto italiano Video 2*;
- l'apparato iconografico è stato rinnovato e ampliato con nuove foto e nuove illustrazioni, queste ultime spesso funzionali all'esercizio. Il Quaderno è ora interamente a colori.

Il volume 2a

La presente edizione (*Nuovo Progetto italiano 2a*) copre il livello B1 del Quadro Comune Europeo di Riferimento per le Lingue ed offre, in un unico volume, le prime 5 unità + una sezione introduttiva (*Prima di... cominciare*) del Libro dello studente e del Quaderno degli esercizi dell'edizione standard. Oltre alle varie esercitazioni disegnate tenendo presenti le tipologie delle certificazioni Celi, Cils, Plida e di altri diplomi, comprende i test finali, presenti al termine di ciascuna unità, 2 test di ricapitolazione, 2 test di progresso, le Attività video, un Gioco didattico, tipo "gioco dell'oca" che conferma come neppure l'aspetto didattico venga trascurato, un'Appendice per le situazioni comunicative, un'Appendice grammaticale e un Approfondimento grammaticale, che offrono allo studente uno strumento per riflettere sui principali fenomeni grammaticali. Tra i materiali allegati abbiamo:
- DVD di circa 90 minuti (*Nuovo Progetto italiano Video 2*) che offre una sit-com didattica che può essere guardata o durante le unità o in piena autonomia. Seguendo la stessa progressione lessicale e grammaticale del *Libro dello studente*, il videocorso (episodi, interviste, quiz) completa i dialoghi e gli argomenti dell'unità. Il DVD è corredato da una *Guida per l'insegnante* disponibile on line.
- CD audio 1, registrato da attori professionisti, comprende brani audio naturali e spontanei, e brani e interviste autentiche, incentrati su alcuni argomenti trattati nelle unità. Il CD audio è disponibile anche nel software per la Lim e in streaming sul sito di Edilingua.

I materiali extra

Nuovo Progetto italiano 2 è completato da una serie di materiali.
- *i-d-e-e*, una piattaforma che comprende tutti gli esercizi del Quaderno in forma interattiva e una serie di risorse e strumenti per studenti e insegnanti.
- *Glossario interattivo*, applicazione gratuita per smartphone e tablet per imparare e consolidare il lessico in maniera efficace e divertente.
- *Software per la Lavagna Interattiva Multimediale*, di alta qualità, semplice, funzionale, intuitivo e completo. Una risorsa multimediale che permette di utilizzare in maniera interattiva, e su un unico supporto, tantissimi sussidi didattici (audio, video, unità didattiche, giochi, test ecc.).
- *CD-ROM interattivo* (versione 2.1), compatibile con tutte le versioni Windows e Macintosh, e disponibile gratuitamente on line. Offre tante ore di pratica supplementare e, grazie all'alto grado di interattività, rende lo studente più attivo, motivato e autonomo.
- *Undici Racconti*, brevi letture graduate ispirate alle situazioni del Libro dello studente.

Molti dei materiali extra sono gratuitamente scaricabili dal sito di Edilingua. Tra questi abbiamo: la *Guida per l'insegnante*, che offre idee e suggerimenti pratici e prezioso materiale da fotocopiare; i *Test di progresso*; i *Glossari* in varie lingue; le *Attività extra e ludiche*; le *Attività online*, cui rimanda un apposito simbolo alla fine di ogni unità e propongono, attraverso siti sicuri e controllati periodicamente, motivanti esercitazioni che accompagnano lo studente alla scoperta di un'immagine più viva e dinamica della cultura e della società italiana.

Buon lavoro!
Gli autori

Legenda dei simboli

Attività in coppia	Situazione comunicativa *Role-play*	Produzione orale libera	Produzione scritta

CD 1 12 Ascoltate la traccia n. 12 del CD audio o del CD-ROM	10 Nel *Quaderno degli esercizi* fate l'esercizio 10	Attività online Andate a www.edilingua.it e fate le attività online

1 Comprensione e comunicazione

 CD 1

a. Ascoltate una prima volta e prendete appunti. Ascoltate di nuovo e abbinate le frasi alle funzioni comunicative.

1 a. chiedere un parere	☐ e. esprimere rammarico
☐ b. esprimere un desiderio	☐ f. esprimere accordo
☐ c. chiedere un favore	☐ g. chiedere informazioni
☐ d. rifiutare la collaborazione	☐ h. invitare

 b. Scrivete una vostra frase con le espressioni che ricordate.

....

....

2 Grammatica. Completate le frasi con i verbi al tempo e modo opportuni.

1. Se non riuscite a svolgere correttamente l'esercizio, *(fare)* .... bene a ripassare la lezione di ieri.
2. I miei genitori *(conoscersi)* .... al matrimonio del cugino di mia madre.
3. Sabato scorso, all'inaugurazione della mostra su Leonardo *(esserci)* .... tantissima gente.
4. Per favore Paolo, *(darmi)* .... una mano a spostare questo divano!
5. Scusami, *(esprimersi)* .... male, non volevo offenderti.
6. Quando sono arrivato alla fermata, l'autobus *(partire)* .... da poco.
7. Martina e Alessandro *(rimanere)* .... a casa, preferiscono guardare il Festival di Sanremo!
8. Se passo l'esame, *(essere)* .... il primo a saperlo: mi hai aiutato così tanto!

3 Produzione orale

Lavorate in coppia. Fatevi delle domande e raccontatevi a vicenda come e dove avete trascorso le ultime vacanze. In seguito, ognuno di voi può riferire brevemente alla classe ciò che ha fatto il compagno.

4 Comunicazione. Cosa direste nelle seguenti situazioni? Rispondete oralmente.

1. Hai invitato un amico a casa. Spiegagli come può arrivare a casa tua.

2. Chiedi a un amico i suoi progetti per le prossime vacanze estive.

3. Sei al supermercato. Cosa dici per comprare il formaggio parmigiano?

4. Sei in un ristorante italiano. Cosa ordini?

5 Produzione scritta

Scrivete un'e-mail al vostro nuovo insegnante per raccontare in breve *(50-60 parole)* il precedente anno/livello/corso di italiano, cioè prima di cominciare a usare questo libro. Che cosa vi è piaciuto di più e cosa di meno, cosa avete trovato più difficile, com'erano i compagni e così via.

6 Lessico

a. **In coppia completate con le parole richieste e confrontate le risposte con i compagni di classe.**

2 generi cinematografici: ...., ...

2 feste: ...., ...

3 stanze di una casa: ...., ..., ...

1 stagione e *2* mesi: ...., ..., ...

b. **Abbinate le parole alle immagini corrispondenti.**

1. pentola a pressione   2. formaggio   3. pantaloni   4. divano   5. penne

6. farfalle   7. camicia   8. caffè   9. latte   10. vestito

7 Grammatica. Completate il testo con i pronomi e le preposizioni.

Sabato pomeriggio sono andata ....(1) centro commerciale con i miei fratellini, Viola e Renato. Non è stata una buona idea, però. Viola ....(2) un certo punto doveva andare in bagno, così ho chiesto a Renato di aspettarci e ....(3) ho accompagnata. Quando siamo tornate, Renato stava piangendo perché un altro bambino ....(4) aveva preso il cappello. La madre, per convincere il figlio a restituirlo a mio fratello, ...(5) ha detto: "Adesso basta, rida.........................(6) il cappello, per te ne compriamo un altro". ....(7) quel punto Renato mi ha detto: "Anch'io voglio un cappello nuovo!". E, ovviamente, si è fatta sentire anche Viola: ".........................(8) voglio anch'io!". Io ho risposto: "Non ....(9) compro niente!". Loro hanno cominciato ....(10) piangere e io per non sentirli ....(11) ho dovuti accontentare. Mia madre non ....(12) ha neanche restituito i soldi, dice che la colpa è mia anche perché avevo insistito tanto per portarli con me! Beh... in fondo ha ragione!

8 Comunicazione. Cosa direste in queste situazioni? Rispondete per iscritto e/o oralmente.

1. Sei con un amico a Firenze e volete fare una foto insieme. Chiedi aiuto a un passante.
....
....
....

2. Sei in un negozio di abbigliamento. Cosa dici per comprare una maglietta?
....
....
....

3. Sei alla stazione. Vuoi andare da Roma a Milano e ritornare. Cosa dici all'impiegata della biglietteria?
....
....
....

4. Entri in un bar. Vuoi prendere un caffè. Che cosa chiedi al barista?
....
....
....

Verificate le vostre risposte a pagina 170 e... benvenuti in *Nuovo Progetto italiano 2*!

Esami... niente stress!

Per cominciare...

1 Osservate le immagini e scambiatevi idee: quali di queste materie ritenete più interessanti e quali più difficili?

CD 1
2

2 Ascoltate una prima volta il dialogo: di quale o di quali materie si parla?

CD 1
2

3 Ascoltate di nuovo e indicate le affermazioni veramente presenti.

1. ma chi grida così?
2. ti volevo chiedere
3. ti servono i miei appunti?
4. te li darei volentieri
5. adesso come faccio?
6. magari te li può prestare lei
7. avevo appena cominciato a sfogliarli
8. sei un tipo romantico
9. me li potresti prestare?
10. non ho tempo di fotocopiarle

In questa unità...

1. ...impariamo a scusarci e a rispondere alle scuse, a esprimere sorpresa e incredulità, a rassicurare qualcuno, a complimentarci con qualcuno, a esprimere dispiacere;
2. ...conosciamo i pronomi combinati e gli interrogativi;
3. ...troviamo informazioni sulla scuola e sull'università in Italia.

A Mi servono i tuoi appunti!

2

1 Leggete e ascoltate i due dialoghi. Confermate le vostre risposte all'attività precedente.

Lorenzo:	Claudio, Claudio!
Claudio:	Oh, che c'è? Perché gridi così?
Lorenzo:	Finalmente ti trovo. Senti... ti volevo chiedere... tu l'esame di letteratura l'hai superato, vero?
Claudio:	Sì, ho preso 30.
Lorenzo:	Caspita! Bravo! Allora, mi servono assolutamente i tuoi appunti!
Claudio:	Non ci credo, anche tu! Guarda, te li avrei dati volentieri, solo che arrivi un po' tardi! Mi ha chiamato ieri Valeria per chiedermi la stessa cosa, i miei appunti. Glieli ho dati proprio stamattina!
Lorenzo:	Accidenti! E adesso come faccio?
Claudio:	Scusami, me lo potevi dire prima, no? Perché non la chiami? Magari te li può prestare lei.
Lorenzo:	Dici? Ok... credo di avere il suo numero. Comunque, grazie lo stesso.

...lo stesso pomeriggio...

Valeria:	Pronto!
Lorenzo:	Ciao, Valeria, sono Lorenzo.
Valeria:	...Lorenzo? Ah ciao, come va?
Lorenzo:	Bene, grazie. Claudio mi ha detto che i suoi appunti ce li hai tu. Me li potresti dare per un po'?
Valeria:	...Veramente... avevo appena cominciato a sfogliarli!
Lorenzo:	Hai ragione, ma a me serve soprattutto la parte sul Romanticismo.
Valeria:	Ah, se non sbaglio, sono una trentina di pagine. Queste te le posso prestare. Però, mi raccomando, mi servono presto.
Lorenzo:	Non ti preoccupare, giusto il tempo di fotocopiarle! Te le darò subito indietro. Grazie mille!

2 Leggete di nuovo e rispondete alle domande.

1. Di che cosa ha bisogno Lorenzo?
2. Perché si rivolge a Claudio?
3. Perché poi si deve rivolgere a Valeria?
4. Come si risolve la situazione?

3 Abbinate le due colonne. Cosa dice Lorenzo per...

...esprimere sorpresa   *Bravo!*

...fare i complimenti a Claudio   *Caspita!*

...esprimere contrarietà, dispiacere   *Non ti preoccupare!*

...rassicurare Valeria   *Accidenti!*

4 Il giorno dopo Lorenzo incontra all'università una sua amica. Completate il loro dialogo con le parole date.

Lorenzo:	Siamo fortunati!
Beatrice:	Perché, cos'è successo?
Lorenzo:	Finalmente sono riuscito a trovare gli appunti di letteratura che cercavo.
Beatrice:	Che bello! Chi (1)..............................?
Lorenzo:	(2).............................. oggi Valeria. Sono quelli di Claudio. Ma (3).............................. che lui ha preso 30?
Beatrice:	Davvero? Non lo sapevo. Io mi accontenterei anche di un 25! Comunque, li darai anche a me, no?
Lorenzo:	Veramente Valeria non mi può dare tutto. (4).............................. solo le pagine sul Romanticismo. Queste certo che (5).............................. . Anzi, faccio una copia anche per te.
Beatrice:	Benissimo! Sai, anche Sabrina avrebbe bisogno di questi appunti. Ne potresti fare una anche per lei?
Lorenzo:	Va bene. Alla fine mi sa che tutti studieranno sugli appunti di Claudio! Al posto suo io (6)..............................!!

lo sai   te li ha dati   li pubblicherei   Me li presterà   te le darò   Mi porterà

 5 Scrivete un breve riassunto *(40-50 parole)* del dialogo introduttivo.

6 Nel dialogo introduttivo abbiamo visto le frasi che seguono. In piccoli gruppi spiegate brevemente, come nell'esempio, a che cosa si riferiscono i pronomi in nero e in blu.

(Claudio) **te li** avrei dati volentieri   *a te, gli appunti*

(Claudio) **Glieli** ho dati proprio stamattina   ....

(Lorenzo) **Me li** potresti dare   ....

(Valeria) Queste **te le** posso prestare   ....

7 Avete notato come si trasformano i pronomi indiretti quando si uniscono a quelli diretti?
Adesso, sempre in gruppi, completate la tabella. Se volete rivedere i pronomi diretti e indiretti consultate l'Appendice grammaticale a pagina 171.

I pronomi combinati

Eva, <u>mi</u> dai un attimo <u>il tuo dizionario</u>?	*(mi+lo)*	⇨	**Me lo** dai un attimo?
<u>Ti</u> devo portare <u>le riviste</u> stasera?	*(ti+le)*	⇨	.... devo portare stasera?
Presterò <u>a Luigi</u> <u>il mio motorino</u>.	*(gli+lo)*	⇨	**Glielo** presterò.
Chiederò <u>a Elena</u> <u>gli appunti</u>.	*(le+li)*	⇨	**Glieli** chiederò.
<u>Ci</u> puoi raccontare <u>la trama</u> del film?	*(ci+la)*	⇨	**Ce la** puoi raccontare?
<u>Vi</u> consiglio <u>il tiramisù</u>.	*(vi+lo)*	⇨	.... consiglio.
<u>A Gianni e Luca</u> regalerò <u>questi libri</u>.	*(gli+li)*	⇨	**Glieli** regalerò.
Professore, <u>Le</u> faccio vedere <u>le foto</u>?	*(Le+le)*	⇨	**Gliele** faccio vedere?
<u>Mi</u> puoi parlare <u>dei tuoi progetti</u>?	*(mi+ne)*	⇨	**Me ne** puoi parlare?
<u>Gli</u> darò due copie <u>del libro</u>.	*(gli+ne)*	⇨	**Gliene** darò due copie.

Nota: Come vedete i pronomi indiretti alla terza persona *(gli/le/Le)* si uniscono al pronome diretto
e, con l'aggiunta di una *-e-*, formano con esso una sola parola *(glielo, gliela, glieli, gliele)*.

8 Rispondete alle domande secondo l'esempio.

> Mi dai il tuo numero di telefono? ⇨ *Sì, te lo do subito.*

1. Oggi mi offri tu il caffè, va bene?
2. Per favore, dai tu questa lettera a Luca?
3. Quando ci presenterai i tuoi amici?
4. Davvero? Regalerai a Sara un anello d'oro?
5. Quante copie degli appunti ti servono?
6. Quando mi fai vedere la tua nuova casa?

B   Scusami!

CD 1

1   Ascoltate i mini dialoghi e abbinateli ai disegni. Attenzione, ci sono due immagini in più!

CD 1

2   Ascoltate di nuovo e completate la tabella che segue.

Scusarsi	Rispondere alle scuse
.... *del ritardo!*	.................................!
Chiedo ....!	.................................!
.................................., *signora!* (formale)	.................................!
Mi scuso del comportamento...!	*Non fa niente!*
Scusa il ritardo!	*Si figuri!* (formale)
Ti / Le chiedo scusa!	*Ma che dici!*

3   Sei *A*: scusati con *B* nelle seguenti situazioni: Sei *B*: rispondi ad *A*.

- *sull'autobus gli/le calpesti un piede*
- *hai dimenticato il suo compleanno*
- *hai perso un libro che ti aveva prestato*
- *gli/le dai un'informazione sbagliata*
- *camminando distratto per strada gli/le vai addosso*

 8

4   Leggete il dialogo tra Lorenzo e la professoressa durante l'esame di letteratura italiana e indicate le affermazioni corrette.

Prof.ssa Levi: Allora, signor Baretti, questa è la seconda volta che sostiene l'esame, vero?

Lorenzo: Sì.

Prof.ssa Levi: D'accordo... Questa volta sono sicura che andrà meglio. Dunque... poeti minori dell'Ottocento...

Lorenzo: Eeeh..., professoressa, mi scusi, ma questo capitolo io non l'ho studiato affatto!

Prof.ssa Levi: Ma come non l'ha studiato? Ne abbiamo parlato più volte.

Lorenzo: Davvero?! Non me l'ha detto nessuno!

Prof.ssa Levi: Ma secondo Lei, chi glielo avrebbe dovuto dire, signor Baretti?! Durante le lezioni Lei dov'era? ...Andiamo avanti: ...Giovanni Verga.

Lorenzo: Verga... certo... Verga è uno scrittore che... mmh...

Prof.ssa Levi: Verga è uno scrittore, questo è sicuro! Ora mi dirà che nessuno Le ha detto che Verga era nel programma!

Lorenzo: Ma... professoressa, veramente, nessuno me li ha fatti notare questi capitoli!

Prof.ssa Levi: Nessuno glieli ha fatti notare?! Signor Baretti, forse è meglio che ci vediamo quando sarà più preparato... o meglio più informato!

Lorenzo: Va bene... Buongiorno e grazie!

Prof.ssa Levi: ArrivederLa!

1. Lorenzo non ha potuto rispondere alle domande perché:
    - ☐ a. erano veramente difficili
    - ☐ b. nessuno gliene aveva parlato
    - ☐ c. non le ha capite

2. La professoressa Levi ha mandato via Lorenzo perché:
    - ☐ a. non frequentava le sue lezioni
    - ☐ b. non aveva studiato
    - ☐ c. ha tentato di copiare

3. Lorenzo non sapeva parlare di Giovanni Verga perché:
    - ☐ a. non era nel programma
    - ☐ b. non è uno scrittore importante
    - ☐ c. nessuno gliel'aveva fatto notare

5   Osservate queste frasi del dialogo e, in particolare, i participi passati. Che cosa notate?

...non me l'ha detto nessuno   *...nessuno me li ha fatti notare questi capitoli.*

Oltre ai predetti requisiti, il MIUR ha stabilito che quanti intendano prendere parte alle procedure concorsuali per la classe A23 debbano essere in possesso anche di un titolo di specializzazione in italiano L2 (come un master di I o II livello o una certificazione glottodidattica di II livello). Il D.M. 92 del 25 febbraio 2016, a firma dell'allora Ministro Giannini, individua i seguenti titoli di specializzazione[8]:

SCUOLA DI SPECIALIZZAZIONE		
Ateneo	**Denominazione della scuola**	**Durata / crediti**
Università per Stranieri di Siena	Scuola di Specializzazione in Didattica dell'Italiano a Stranieri	2 anni / 120 CFU
MASTER DI I LIVELLO		
Ateneo	**Denominazione del Master**	**Durata / crediti**
Università degli Studi "G.D'Annunzio" di Chieti-Pescara	Master in Didattica dell'italiano lingua seconda e lingua straniera intercultura e mediazione	1 anno / 60 CFU
Università degli Studi dell'Insubria	Master in Formatori interculturali di Lingua italiana per Stranieri - FILIS	1 anno / 60 CFU
Università degli Studi di Macerata	Master in Didattica dell'italiano L2/LS in prospettiva interculturale	1 anno / 60 CFU
Università Cattolica del Sacro Cuore di Milano	Master in Didattica dell'italiano L2	1 anno / 60 CFU
Università degli Studi di Milano	Master PROMOITALS Promozione e insegnamento della lingua e cultura italiana a stranieri	9 mesi / 60 CFU
Università degli Studi di Padova	Master in Didattica dell'italiano come L2	1 anno / 60 CFU
Università degli Studi di Palermo	Master di I livello in Didattica dell'italiano come lingua non materna	1 anno / 60 CFU
Università per Stranieri di Perugia	Master in didattica dell'italiano lingua non materna	9 mesi / 60 CFU
Università per Stranieri di Perugia e Università per Stranieri di Siena (erogato dal consorzio ICoN)	Master in Didattica della Lingua e della Letteratura italiana	1 anno / 60 CFU
Università per Stranieri di Siena	Master DITALS	1 anno / 60 CFU
Università per Stranieri di Siena	Contenuti, metodi e approcci per insegnare la lingua italiana ad adulti stranieri	1 anno / 60 CFU
Università degli Studi di Torino	Master in Didattica dell'italiano L2 (MITAL2)	1 anno / 60 CFU
Università degli Studi di Udine	Master italiano lingua seconda e interculturalità	8 mesi / 60 CFU
Università degli Studi "Carlo Bo" di Urbino	Master insegnare italiano a stranieri: scuola, università, impresa - limitatamente al Percorso A dedicato alla didattica dell'italiano L2	1 anno / 60 CFU
Università "Ca' Foscari" di Venezia	Master ITALS Didattica e promozione della lingua e cultura italiana a stranieri	1 anno / 60 CFU
MASTER DI II LIVELLO		
Università della Calabria	Master in Didattica dell'italiano come L2	1 anno / 60 CFU
Università degli Studi "L'Orientale" di Napoli	Master in Didattica dell'italiano L2	1 anno / 60 CFU
Università degli Studi di Palermo	Master in Teoria, progettazione e didattica dell'italiano come lingua seconda e straniera	1 anno / 60 CFU
Università degli Studi "Tor Vergata" di Roma	Master insegnare Lingua e Cultura Italiana a Stranieri (LCS)	1 anno / 60 CFU
Università per Stranieri di Siena	Master Inter-Imm Intercomprensione e Immigrazione: italiano per le professioni e per il carcere	1 anno / 60 CFU
Università per Stranieri di Siena	Master ELIIAS E-learning per l'insegnamento dell'italiano a stranieri	1 anno / 60 CFU
Università "Ca' Foscari" di Venezia	Master in Progettazione avanzata dell'insegnamento della lingua e cultura italiana a stranieri	1 anno / 60 CFU
CERTIFICAZIONI		
Università per stranieri di Perugia	DILS-PG di II livello	
Università per stranieri di Siena	DITALS di II livello	
Università "Ca' Foscari" di Venezia	CEDILS	

tab. 2. *Titoli di specializzazione in Italiano Lingua 2.*

8 Il Decreto Ministeriale 92/2016 in merito al *Riconoscimento dei titoli di specializzazione in Italiano Lingua 2* è consultabile online al sito http://www.istruzione.it/concorso_docenti/documenti.shtml (ultimo accesso 01.10.2017).

NUOVA CLASSE DI CONCORSO E DI ABILITAZIONE DI CORRISPONDENZA CON PRECEDENTI CLASSI DI CONCORSO		REQUISITI DI ACCESSO CLASSI DI ABILITAZIONI		
Codice	Denominazione	Titoli di accesso DM 39/1998 (vecchio ordinamento)	Titoli di accesso DM 22/2005 (Lauree specialistiche e integrazione vecchio ordinamento)	Titoli di accesso Lauree Magistrali DM 270/2004 Diplomi accademici di II livello
A – 23 NUOVA (a) (b)	Lingua italiana per discenti di lingua straniera	**Lauree in**: Lingua e cultura italiana; Lingue e letterature straniere (vedi nota 1) **Lauree in**: Conservazione dei beni culturali; Geografia; Lettere; Materie letterarie; Storia (vedi nota 1) **Laurea in** Lingue e letterature straniere (vedi nota 2) **Lauree in**: Filosofia; Lettere; Materie letterarie; Pedagogia (vedi nota 3) **Laurea in** Storia (vedi nota 4) **Lauree in**: Filosofia; Pedagogia; Scienze dell'educazione (vedi nota 5) **Lauree in**: Conservazione dei beni culturali; Geografia; Lettere; Materie letterarie; Storia (vedi nota 6) **Lauree in**: Conservazione dei beni culturali; Filosofia; Lettere; Materie letterarie; Pedagogia; Storia (vedi nota 7)	Per tutti i titoli della colonna sottostante fare riferimento alla nota 1. **LS 1** - Antropologia culturale ed etnologia **LS 2** - Archeologia **LS 5** - Archivistica e biblioteconomia **LS 10** - Conservazione dei beni architettonici e ambientali **LS 11** - Conservazione dei beni scientifici e della civiltà industriale **LS 12** - Conservazione e restauro del patrimonio storico-artistico **LS 15** - Filologia e letterature dell'antichità **LS 16** - Filologia moderna **LS 21** - Geografia **LS 24** - Informatica per le discipline umanistiche **LS 40** - Lingua e cultura italiana **LS 42** - Lingue e letterature moderne euroamericane **LS 43** - Lingue straniere per la comunicazione internazionale **LS 44** - Linguistica **LS 93** - Storia antica **LS 94** - Storia contemporanea **LS 95** - Storia dell'arte **LS 97** - Storia medioevale **LS 98** - Storia moderna	Per tutti i titoli della colonna sottostante fare riferimento alla nota 1. **LM 1** - Antropologia culturale ed etnologia **LM 2** - Archeologia **LM 5** - Archivistica e biblioteconomia **LM 10** - Conservazione dei beni architettonici e ambientali **LM 11** - Conservazione e restauro dei beni culturali **LM 14** - Filologia moderna **LM 15** - Filologia, letterature e storia dell'antichità **LM 37** - Lingue e letterature moderne europee e americane **LM 38** - Lingue moderne per la comunicazione e la cooperazione internazionale **LM 39** - Linguistica **LM 43** - Metodologie informatiche per le discipline umanistiche **LM 80** - Scienze geografiche **LM 84** - Scienze storiche **LM 89** - Storia dell'arte

(a) L'accesso ai percorsi di abilitazione è consentito a coloro che, in possesso di uno dei titoli elencati nelle precedenti colonne, siano forniti dei titoli di specializzazione italiano L2 individuati con specifico decreto del Ministero dell'Istruzione, dell'Università e della Ricerca.

(b) È altresì titolo di accesso al concorso l'abilitazione nelle classi 43/A, 50/A, 51/A e 52/A, 45/A, 46/A, 91/A e 92/A del previgente ordinamento, purché congiunta con il predetto titolo di specializzazione e purché il titolo di accesso comprenda i seguenti CFU: 12 L-LIN/01; 12L/LIN/02; 12L-FIL-LET/12 ovvero un corso annuale o due semestrali nelle seguenti discipline: glottologia o linguistica generale, glottodidattica; didattica della lingua italiana.

(nota 1) Dette lauree sono titoli di ammissione ai percorsi di abilitazione purché il titolo di accesso comprenda i corsi annuali (o due semestrali) di: lingua italiana, letteratura italiana, linguistica generale, lingua latina o letteratura latina, storia, geografia, glottologia, glottodidattica, didattica della lingua italiana; ovvero almeno 72 crediti nei settori scientifico disciplinari L-FIL-LET, L-LIN, M-GGR, L-ANT e M-STO di cui: 12 L-LIN/01; 12 L-LIN/02; 12 L-FIL-LET/12; e almeno 6 L-FIL-LET/10, 6 L-FIL-LET/04, 6 M-GGR/01, 6 tra L-ANT/02 o 03, M-STO/01 o 02 o 04.

(nota 2) Dette lauree limitatamente agli istituti con lingua di insegnamento italiana della Provincia di Bolzano sono titoli di ammissione al concorso purché il piano di studi seguito abbia compreso i corsi di cui alla nota 1) ed un corso biennale di lingua o letteratura tedesca.

(nota 3) Dette lauree sono titoli di ammissione al concorso purché conseguite entro l'A.A. 1986/1987.

(nota 4) La laurea in storia, conseguita entro l'A.A. 1986/1987, è titolo di ammissione al concorso purché il piano di studi seguito abbia compreso un corso di lingua o letteratura italiana.

(nota 5) Dette lauree, purché conseguite entro l'A.A. 2000/2001, sono titoli di ammissione al concorso solo se il piano di studi seguito abbia compreso un corso biennale o due annuali di lingua e/o letteratura italiana, un corso annuale di storia ed un corso annuale di geografia. Dette lauree non sono più previste ai sensi del D.M. n. 231/1997.

(nota 6) Dette lauree, purché conseguite entro l'A.A. 2000/2001, sono titoli di ammissione al concorso solo se il piano di studi seguito abbia compreso un corso biennale o due annuali di lingua e/o letteratura italiana, un corso annuale di storia ed un corso annuale di geografia.

(nota 7) Dette lauree, purché conseguite entro l'A.A. 1997/98, sono titoli di ammissione al concorso solo se il piano di studi seguito abbia compreso un corso annuale di lingua e/o letteratura italiana, un corso annuale di storia, un corso annuale di geografia.

tab. 1. *Requisiti di accesso alla classe di concorso A23.*

nazionale per titoli ed esami superato il quale, ed ecco la novità, si potrà accedere a un percorso di formazione inziale della durata di tre anni. Si tratta del così detto «percorso FIT» (percorso triennale di formazione iniziale, tirocinio e inserimento nella funzione docente con accesso a ruolo a tempo indeterminato[4]), introdotto dal Decreto Legislativo 59/17[5] con l'obiettivo di sviluppare e rafforzare nei futuri docenti:

a. le competenze culturali, disciplinari, didattiche e metodologiche, in relazione ai nuclei fondanti dei saperi e ai traguardi di competenza fissati per gli studenti;

b. le competenze proprie della professione di docente, in particolare pedagogiche, relazionali, valutative, organizzative e tecnologiche, integrate in modo equilibrato con i saperi disciplinari;

c. la capacità di progettare percorsi didattici flessibili e adeguati al contesto scolastico, al fine di favorire l'apprendimento critico e consapevole e l'acquisizione delle competenze da parte degli studenti;

d. la capacità di svolgere con consapevolezza i compiti connessi con la funzione docente e con l'organizzazione scolastica (D.L.59/17 art. 2).

Il percorso FIT sarà quindi accessibile ai vincitori del concorso 2018[6] e, nel caso dell'italiano per stranieri, darà avvio per la prima volta in Italia ai nuovi percorsi abilitanti in tale disciplina. In attesa che il Ministero dell'Istruzione, dell'Università e della Ricerca (d'ora in avanti, MIUR) definisca i contenuti, gli insegnamenti e gli ulteriori dettagli che porteranno i futuri docenti ad abilitarsi nella classe A23, presentiamo i requisiti di accesso e i titoli di specializzazione richiesti per accedere alla prossima procedura concorsuale per l'insegnamento dell'italiano a stranieri.

La Tabella A, divulgata dal MIUR con Nota 5499 del 19 maggio 2017[7], presenta i titoli di accesso richiesti per potersi abilitare in una specifica disciplina. Riportiamo qui di seguito la sezione inerente alla sola classe A23, materia di cui ci occupiamo più da vicino in questa sede.

---

4 Anche se mancano ancora molti decreti attuativi ed esplicativi, il nuovo sistema FIT permetterà agli aspiranti docenti, una volta vinto il concorso, di stipulare un contratto triennale retribuito di formazione iniziale e di tirocinio. Alla conclusione dei tre anni e previo superamento di un esame finale, si ottiene un contratto a tempo indeterminato nella scuola pubblica. Il nuovo percorso FIT sarà, d'ora in avanti, l'unico percorso possibile per acquisire la specializzazione (che sostituisce la precedente abilitazione all'insegnamento) e il ruolo. Quanto alle scadenze, si ipotizza che il primo concorso sarà bandito entro la fine del 2018 e avrà cadenza biennale.

5 Il Decreto Legislativo 13 Aprile 2017, n. 59 è consultabile online al sito http://www.gazzettaufficiale.it/eli/gu/2017/05/16/112/so/23/sg/pdf (ultimo accesso 01.10.2017).

6 Facciamo presente che il Decreto Legislativo 59/17 prevede anche una fase transitoria dove vi saranno concorsi riservati sia ai docenti che si sono abilitati entro il 31 maggio 2017 sia ai docenti non abilitati che, alla data del bando di concorso, abbiano maturato 3 anni di servizio negli ultimi 8. Per approfondimenti e aggiornamenti, rimandiamo al sito del MIUR: www.istruzione.it.

7 Si tratta della Nota 5499 del 19 maggio 2017 avente ad oggetto "Elementi conoscitivi del D.M. n. 259 del 9 maggio 2017 di revisione e aggiornamento delle classi di concorso".

IL DOCENTE A23: FORMAZIONE E COMPETENZE

Chiara Andreoletti - Università Cattolica di Milano

1. Introduzione

Che cosa si intende quando si parla di docente A23? Quali percorsi formativi possibili sono oggi riconosciuti per operare in questo settore e quali competenze si richiedono a tale categoria di insegnanti? Per rispondere a queste domande faremo riferimento alla situazione normativa dell'insegnamento dell'italiano L2, attualmente regolamentata dalla Legge 107/2015[1]. Il contributo intende offrire una panoramica generale dei titoli, dei contenuti disciplinari e delle competenze richieste a quanti intendano sostenere, in tale disciplina, il prossimo concorso a cattedra per la scuola pubblica previsto nel 2018.

2. La nuova classe di concorso A23

L'attuale riforma della scuola (Legge 107/2015), conosciuta anche come la legge "La Buona Scuola", ha permesso di investire nuovamente nel sistema d'istruzione italiano attraverso l'ampliamento dell'offerta formativa, il rafforzamento dell'autonomia scolastica e la copertura delle cattedre vacanti tramite un concorso per titoli ed esami. Quest'ultimo punto è di particolare interesse per il riconoscimento normativo dell'insegnamento dell'italiano L2: nell'ambito dell'avviamento delle nuove procedure concorsuali previste dalla Riforma, e più esattamente durante l'*iter* di revisione delle classi di concorso[2] avvenuto nel luglio 2015, il Consiglio dei Ministri ha scelto di introdurre undici nuove classi per l'insegnamento nella scuola secondaria di I e II grado, fra cui la A23, relativa all'insegnamento della *lingua italiana per discenti di lingua straniera (alloglotti)*. L'istituzione di questa nuova classe di concorso è stata accolta dagli esperti del settore come un duplice traguardo: adempiere all'obiettivo prioritario circa l'alfabetizzazione e il perfezionamento dell'italiano come lingua seconda (così come previsto dal disegno di legge della Riforma[3]) e muovere un primo passo verso il riconoscimento istituzionale dell'insegnamento dell'italiano L2 nella scuola pubblica. Per molti anni, infatti, l'emergenza di

chi doveva imparare l'italiano come L2 è stata gestita nelle scuole grazie alla buona volontà dei singoli insegnanti i quali, indipendentemente dal possesso di adeguate competenze glottodidattiche, si sono spesi per rispondere ai bisogni linguistici dei nuovi arrivati. Come ricorda Graziella Favaro:

> da circa vent'anni (risale infatti al 1989 la prima circolare sull'inserimento degli alunni stranieri) si è sedimentato in Italia un deposito variegato di esperienze, sperimentazioni, buone pratiche, che si muovono lungo linee progettuali che si richiamano ora all'integrazione degli alunni stranieri, ora all'insegnamento dell'italiano come seconda lingua o all'educazione interculturale per tutti. Vi è nella scuola un vivace "brusio delle pratiche", per usare un'espressione di De Certeau, che attende di diventare discorso condiviso, illuminato da riferimenti e principi, definito nelle azioni e nei dispositivi, sostenuto dalle risorse e dai mezzi da utilizzare (Favaro, 2010: 1).

L'assenza di un unico percorso formativo condiviso a livello nazionale aveva portato in aula una molteplicità di professionisti più o meno formati all'insegnamento dell'italiano a stranieri, quali docenti di lingua italiana, di sostegno o di lingua straniera, insegnanti distaccati su progetto, mediatori linguistici, facilitatori, docenti *free lance*, collaboratori esperti linguistici o neolaureati, per citare solo alcuni casi. A conferma di questo, Cristina Bosisio affermava che:

> la formazione di queste figure professionali, nate dall'emergenza e dalla necessità di far fronte a situazioni problematiche è abbastanza eterogenea, anche se presenta una caratteristica comune, e cioè la loro preparazione alla professione docente in generale, che si tratti di insegnanti di scuola primaria o di laureati in discipline diverse formate all'insegnamento nella scuola secondaria (Bosisio, 2005: 208).

L'istituzione della nuova classe di concorso A23, dunque, cerca di colmare un vuoto normativo durato troppo a lungo nel nostro paese, definendo nuove linee guida per una formazione di qualità nel campo della didattica dell'italiano a stranieri nella scuola. Vediamo ora nel dettaglio quali sono i titoli di accesso, le competenze e i contenuti disciplinari richiesti per l'accesso al ruolo del docente A23.

3. L'accesso al ruolo per il docente A23

A partire dal 2018 per diventare insegnanti occorrerà, come in passato, iscriversi a un concorso pubblico

---

1 La Legge 13 luglio 2015, n. 107 in merito alla *Riforma del sistema nazionale di istruzione e formazione e delega per il riordino delle disposizioni legislative vigenti* è consultabile online al sito http://www.gazzettaufficiale.it (ultimo accesso 01.10.2017).

2 Le classi di concorso segnalano, attraverso un codice alfanumerico, l'insieme delle materie che possono essere insegnate da un docente previo possesso di specifici titoli di accesso ai percorsi abilitanti.

3 Cfr. Legge 107/2015 (Articolo 1, comma 7, punto r).

stico all'estero gestito da INDIRE su affidamento del MAECI, fa riferimento esplicito al modello del portfolio sperimentato da INDIRE su affidamento del MIUR nella formazione dei docenti neo-assunti (Rossi *et al.* 2015; Mangione *et al.* 2015), del quale è stato mutuato l'impianto generale, con gli opportuni adattamenti. Il profilo di competenze del docente neoassunto è stato elaborato da INDIRE in collaborazione con l'Università di Macerata e si ispira in parte al profilo di competenze del docente del mondo francofono (Référentiel francese, MEQ in Québec) e anglofono (Teachers Standards UK, definite dall'InTASC[5]), con l'obiettivo di offrire un quadro orientativo per esplicitare e documentare capacità, competenze, esperienze non sempre facilmente comunicabili.

Riflettendo sulla documentazione del suo percorso formativo, attraverso la compilazione del portfolio, il docente può comprendere meglio il suo profilo di competenze e proiettarsi verso i bisogni formativi futuri, individuando le priorità oggetto di interesse.

4. Il portfolio nel Piano di Formazione per il personale scolastico all'estero

Analogamente al portfolio del docente neoassunto, il portfolio del docente all'estero ha l'obiettivo di:

- attivare un processo di riflessione sulla propria esperienza e sulla attuale identità professionale;
- favorire l'individuazione delle aree di forza e di debolezza e delle traiettorie di miglioramento;

---

5 InTASC: Interstate Teacher Assessment and Support Consortium.

- mettere in correlazione le varie attività e i vari materiali di studio disponibili in piattaforma.

Nello specifico, il portfolio del docente all'estero si compone di tre parti:

- una sintetica ricostruzione del curriculum formativo del docente (Curriculum formativo);
- la documentazione di una sequenza didattica (Attività didattica);
- una riflessione professionale attraverso la compilazione di un questionario (Bilancio di competenze).

4.1. Il curriculum formativo

Questa sezione non è finalizzata a raccogliere tutti i titoli e le esperienze professionali svolte, ma mira a focalizzare l'attenzione su di un numero ridotto di "eventi" che si considerano particolarmente significativi nella vita e nella formazione della professionalità di docente. L'identità di un docente, infatti, si costruisce attraverso un lungo percorso che vede l'avvicendarsi di molte esperienze formative, alcune avvenute in contesti formali, altre vissute al di fuori della scuola, ma ugualmente significative. La costruzione del curriculum formativo prevede le seguenti fasi, che in piattaforma sono accompagnate da domande-stimolo cui il docente è chiamato a rispondere:

1. individuazione degli eventi significativi;
2. descrizione degli eventi;
3. riflessione sugli eventi.

L'obiettivo di questa fase, dunque, consiste nell'individuare e fissare alcuni momenti significativi che hanno arricchito il docente, consentendogli di apprendere nuovi contenuti e crescere nella sua professionalità.

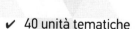

4.2. Attività didattica

In questa sezione viene richiesto al docente di descrivere una micro-attività, focalizzando l'attenzione sulle seguenti fasi: progettazione, documentazione, riflessione.

La prima fase rappresenta un invito alla riflessione e alla presa di coscienza del proprio *habitus* progettuale, stabilendo le finalità, gli obiettivi, le competenze oggetto dell'attività didattica prescelta, i concetti chiave e i nuclei tematici, i mezzi, gli strumenti, le modalità di valutazione formativa e sommativa. Al docente si chiede inoltre di documentare l'attività didattica, allegando sia i materiali utilizzati durante la lezione (schede, immagini, supporti, slide), sia la documentazione stessa dell'attività svolta (audio, video, foto, ove possibile) e eventualmente i materiali prodotti dagli studenti. È inoltre richiesta una breve riflessione sull'attività svolta, con l'individuazione delle possibili aree di miglioramento, come effetto dello scarto tra risultati previsti e risultati ottenuti.

4.3. Bilancio delle competenze

Il Bilancio delle competenze si avvale della riflessione e della documentazione delle fasi precedenti e prevede l'individuazione delle pratiche didattiche più adatte, che possano contribuire a mobilitare le risorse personali e di contesto per affrontare i vari problemi.

Il Bilancio presenta dei descrittori riferibili alle competenze, la cui compilazione è facilitata dalla presenza di domande-guida. Le aree di competenza sono state tratte da diversi profili professionali del docente utilizzati a livello internazionale, puntando l'attenzione sulla formazione, auto-formazione e co-formazione del docente stesso. Nello specifico, vengono proposte due attività: «Competenze attuali», orientata a ripercorrere, attraverso le domande guida, il ricordo delle situazioni che hanno permesso di agire in modo efficace, oppure, al contrario, le situazioni che hanno fatto emergere problemi e quindi dei bisogni formativi; «Sviluppo di competenze», che mira a orientare il docente nella scelta delle offerte di formazione sulle quali concentrarsi nel prossimo futuro per soddisfare i bisogni formativi emersi.

5. La formazione online dei docenti all'estero: il portale MAECI-INDIRE

Come affermano Maugeri e Serragiotto (2014), le prospettive di qualità e di miglioramento continuo del personale della scuola si basano sull'esigenza di creare una cultura di gruppo, che sia espressione del senso di appartenenza alla scuola e che, integrando la storia e interpretando la *mission* dell'istituto, possa diventare soggetto narrante di idee e di esperienze, contribuendo attivamente e fattivamente alla realtà organizzativa. Nel caso dei docenti che prestano servizio all'estero è fondamentale la costituzione di una comunità di pratiche (Wenger 1998, 1999) online, che possa stimolare il dialogo e il confronto tra esperienze di insegnamento in contesti geografici e culturali diversi e spesso lontanissimi tra di loro.

«La qualità dell'insegnamento è frutto di un processo dinamico che contempla momenti di apprendimento collettivo e condiviso, spazi collaborativi e modalità sistemiche e progressive di riflessione sui contenuti e di *problem solving* che, combinandosi con l'esperienza degli individui, trovano valorizzazione nei percorsi formativi e di aggiornamento glottodidattico dei docenti» (Maugeri, Serragiotto 2014: 30).

Da questa architettura scaturisce un agire comunicativo coordinato da presupposti scientifici e di dinamica organizzativa che non assumono mai carattere episodico (Balboni 2007); avvalendosi delle tecnologie nella formazione a distanza, si ridisegnano le modalità di progettazione e implementazione dei percorsi formativi all'interno di un sistema; al contempo le tecnologie incidono sul modo di generare le relazioni interne a comunità professionali i cui membri condividono gli stessi interessi.

Su questi presupposti si fonda l'ambiente online dedicato alle attività di formazione, scambio, interazione e condivisione della comunità di pratiche del personale scolastico all'estero: il portale MAECI-INDIRE[6] (fig. 1).

fig. 1. *Il portale MAECI-INDIRE.*

Il portale è caratterizzato da una sezione per i docenti, una sezione per i lettori e una sezione per i dirigenti scolastici: in queste sezioni sono disponibili materiali di studio, riferimenti bibliografici e normativi, video, contenuti digitali, spunti per la didattica della lingua italiana e per le didattiche disciplinari, suggerimenti per l'uso delle tecnologie nella didattica. Sono inoltre proposti dei percorsi formativi che hanno il duplice obiettivo di offrire materiali per lo studio, la formazione e l'aggiornamento e di fornire proposte didattiche come spunti da adeguare alle varie situazioni e ai

---

6 Il link al sito è: http://esteri.indire.it/2016/index.php1

vari contesti di insegnamento. Le attività e i contenuti digitali presenti in piattaforma rappresentano inoltre l'oggetto di riflessione nei Forum, dove è possibile discutere, confrontarsi e condividere idee ed esperienze.

Numerosi studi e ricerche puntano l'attenzione sullo sviluppo professionale dei docenti mediato dalle tecnologie (Caon, Serragiotto 2012; Cinganotto, Cuccurullo 2016; Cuccurullo, Cinganotto 2017), evidenziando le potenzialità delle modalità attive, come il *learning by doing* e il *learning from and by others*: i contenuti vengono esplorati, discussi e rielaborati sulla base della interazione sociale e della propria esperienza conoscitiva tacita e professionale. Attraverso la formazione a distanza proposta in piattaforma, i docenti possono personalizzare i tempi e i contenuti del loro percorso formativo e condividerli con i colleghi che insegnano in altre parti del mondo.

6. La parola ai docenti

Al fine di valutare la risposta dei docenti all'offerta formativa prevista da MAECI-INDIRE, sono stati intervistati alcuni docenti in servizio all'estero: di seguito si riporta un estratto di una delle interviste, attraverso le quali i ricercatori INDIRE coinvolti nel progetto (l'autrice, in collaborazione con Fausto Benedetti) hanno potuto comprendere le ricadute del percorso e i punti di forza, ma anche le aree di possibile miglioramento.

«Insegno matematica e fisica presso il Liceo Scientifico Statale Italiano "Amaldi" di Barcellona; sono arrivato qui a Barcellona i primi di settembre del 2016, quindi questo per me è il primo anno d'insegnamento all'estero; l'esperienza è altamente arricchente e l'ambiente di lavoro molto stimolante, grazie al pluri-contesto etnico-linguistico; il clima di lavoro è sereno e la comunità scolastica è inclusiva e familiare; io sono di Reggio Calabria, titolare presso il liceo scientifico statale "Volta" di Reggio Calabria, dove insegno da una decina d'anni. Il percorso di formazione sulla piattaforma INDIRE-MAECI dovrebbe, a mio avviso, prevedere tematiche specifiche e proposte didattiche per la matematica e fisica delle scuole secondarie; gli argomenti proposti infatti riguardavano cicli di istruzione inferiori (motivo per il quale ho deciso di lavorare sul CLIL); ho trovato molto interessante la sezione relativa all'uso delle tecnologie nella didattica, soprattutto il modulo "Dalla lavagna tradizionale alla LIM", i cui contenuti sono risultati utili per la mia attività didattica curriculare, positivo il forum di discussione. Ho analizzato anche il materiale relativo alla sezione Dirigenti, trovando ottimi spunti spendibili da tutti i docenti. Ho trovato interessante l'unità relativa alla progettazione di moduli interdisciplinari, in cui viene ribadito il ruolo fondamentale del consiglio di classe nella progettazione didattica. Un'altra sezione di mio interesse, sempre all'interno dell'area dirigenti, è stata quella relativa al concetto di competenza e didattica, tematica che merita estrema attenzione, essendo diventate le compe-

tenze uno dei nuclei fondanti della valutazione (ormai si parla di progettare e valutare per competenze); la mappa proposta nel materiale da analizzare offre un quadro sinottico estremamente utile su tutti gli aspetti che contribuiscono all'acquisizione delle varie competenze (matematico-scientifico-tecnologiche, digitali, in lingua straniera sociali, civiche, ecc..), nell'ottica che la scuola di oggi deve formare non più cittadini italiani, ma cittadini europei (o forse del mondo, direi io...)» (Fabio Versaci).

Il commento e il *feedback* dei docenti è particolarmente prezioso ai fini della riprogettazione futura dell'ambiente online e permette di mettere in luce le potenzialità e le ricadute, ma anche le eventuali criticità: per esempio, l'esigenza di approfondimenti ulteriori sulle specifiche didattiche disciplinari, emersa nel commento sopracitato, è stata in parte soddisfatta inserendo in piattaforma ulteriori materiali ed esempi di test relativi alla prova di fisica degli Esami di Stato.

7. La dimensione informale: il gruppo e la pagina Facebook

In questi anni, per accompagnare la costituzione e la crescita della comunità di pratiche dei docenti in servizio all'estero è nata spontaneamente una fervida attività di scambio e interazione informale, attraverso i Social Network, in particolare una pagina dedicata e un gruppo Facebook, entrambi moderati e gestiti da Remo Omar Cinquanta, insegnante di scuola primaria in servizio all'estero dal 2015, in collaborazione con alcuni colleghi. Il gruppo «Insegnare all'estero», creato nel 2008, registra attualmente oltre 30.000 iscritti ed è nato con l'obiettivo di diffondere le informazioni relative all'istruzione all'estero, raccogliere testimonianze, esperienze, racconti e suggerire consigli utili a chi si affaccia al mondo delle scuole italiane all'estero. Nel gruppo si parla di "democrazia partecipata": le notizie e le informazioni sono consultabili in modo chiaro e *user-friendly*.

Si tratta di una conferma dell'esigenza del personale scolastico all'estero di "fare rete" e collaborare per rimanere aggiornati sulla normativa del MIUR e del MAECI, nonché per confrontarsi sulle tematiche oggetto di studio, sui materiali, sulle progettazioni didattiche, ecc.

Il portale MAECI-INDIRE in prospettiva futura potrebbe porsi in maniera sempre più efficace come uno strumento di comunicazione, formazione, informazione, collaborazione e espressione della comunità di pratiche dei docenti all'estero.

8. Conclusioni

Il contributo, prendendo l'avvio dalla descrizione dell'attuale quadro normativo che disciplina l'organizzazione e la didattica delle scuole italiane all'estero, in linea con la Legge 107/2015, ha inteso puntare l'attenzione su alcuni aspetti della formazione per il personale scolastico in servizio all'estero affidata dal MAECI a INDIRE. In particolare, sono state descritte le principali caratteristiche del portfolio per i docenti all'estero, mutuato dal modello elaborato per i docenti neoassunti, con gli opportuni adattamenti. Sono state inoltre illustrate le principali caratteristiche del portale per la formazione, anche attraverso le parole di un docente cui è stato chiesto di fornire un *feedback*.

Infine, si è puntata l'attenzione sulla dimensione informale della comunicazione e della interazione, mediata attraverso i Social Network, in particolar modo Facebook, attraverso una pagina e un gruppo creati e moderati spontaneamente da un docente in servizio all'estero.

L'esigenza di una sempre migliore qualità della formazione del personale docente all'estero, anche alla luce del nuovo quadro normativo, spinge a evidenziare in modo sempre più deciso il ruolo del portale MAECI-INDIRE come fucina di idee, di scambi, di riflessioni e come sede deputata all'espressione e alla interazione dei membri della comunità di pratiche dei docenti all'estero, perché possano non solo comunicare tra di loro e collaborare alla formazione, ma anche diffondere in modo sempre più capillare la cultura italiana all'estero, anche attraverso i canali digitali stessi.

Riferimenti bibliografici

Balboni P.E., 2007, *Qualità della politica, qualità dell'insegnamento*, «Studi di Glottodidattica», Vol. 1, n. 3, pp. 1-7.
Barret H., 2006, *Using Electronic Portfolios for Formative/Classroom-based Assessment*, «Connected Newsletter» 13, 2, pp. 4-6.
Bekers J., 2010, *Formation initiale et développement professionnel des enseignants : quel rôle de l'évaluation ?* In Paquay L., Nieuwenhoven C., Wouters P. (ed.), *L'évaluation, levier du développement professionnel ?* De Boeck, Bruxelles, pp. 147-160.
Caon F., Serragiotto G., 2012, *Didattica e nuove tecnologie*, Torino, UTET.
Cinganotto L., Cuccurullo D., 2016, *Open Educational Resources, ICT and virtual communities for Content and Language Integrated Learning*, «Teaching English with Technology», 16 (4), pp. 3-11.
Consiglio d'Europa, 2007, *European Portfolio for Student Teachers of Languages (EPOSTL). A reflection tool for language teacher education*, ECML (European Centre for Modern Languages), Graz.
Cuccurullo D., Cinganotto, L., 2017, *Lingue straniere e tecnologie per le fluencies del XXI secolo*, In Balboni P.E., D'Alessandro L., Di Sabato B., Perri A. (a cura di), *Lingue, linguaggi, testi e contesti,* Soveria Mannelli (Catanzaro), Rubbettino, pp. 95-100.
Mangione G.R., Pettenati M.C., Rosa A., Magnoler P., Rossi P.G., 2015, *Sviluppo della Professionalità docente. L'uso del portfolio formativo nell'esperienza Neoassunti 2015*. In Rui M., Messina L., Minerva T., (a cura di), *Teach different! Proceedings della Multiconferenza EM&M 2015, Genova, 9-11 settembre,* Genova, Genova University Press, pp. 519-522.
Maturana H., Varela F., 1984, *ElArbol del conocimiento*, (Organización de EstadosAmericanos, OEA, 1984); tr. it. *L'albero della conoscenza*, Garzanti editore, Milano, 1992.
Maugeri G., Serragiotto, G., 2014, *Analisi sul ruolo degli istituti italiani di cultura e ipotesi di progettazione di nuovi ambienti di apprendimento a rete per la formazione on line dei docenti*, «Revista Italiano UERJ», 5 (5), pp. 7-57.
Rossi P.G., 2005, *Progettare e realizzare il portfolio*, Carocci, Roma.
Rossi P.G., Giannandrea L., 2006, *Che cos'è l'e-portfolio*, Carocci, Roma.
Rossi P.G., 2011, *Didattica enattiva*, Franco Angeli, Milano.
Rossi P.G., Magnoler P., Giannandrea L., Mangione G.R., Pettenati M.C., Rosa A., 2015, *Il Teacher Portfolio per la formazione dei neo-assunti*, «Pedagogia oggi», 2, pp. 223-242.
Schön D.A., 1987, *Educating the reflective practitioner: Toward a new design for teaching and learning in the professions*, San Francisco, Jossey-Bass.
Seldin P., 2004, *The teaching portfolio: A practical guide to improved performance and promotion/tenure decisions*, Anker Publishing Company, Boston.
Theureau J., 2010, *Les entretiens d'autoconfrontation et de remise en situation par les traces matérielles et le programme de recherche "cours d'action"*, «Revue d'anthropologie des connaissances», IV, 2, pp. 287-322.
Wenger E., 1998, *Communities of Practice. Learning as a Social System*, «System Thinker». URL: https://goo.gl/GoRLYq (ultimo accesso: 14.01.2017).
Wenger E., 1999, *Communities of Practice: Learning, Meaning and Identity*, Cambridge University Press.

Palazzo Ducale, Mantova

Senza entrare nel dettaglio dei piani dell'offerta formativa di ogni singolo ateneo qui sopra citato, facciamo notare come il possesso di uno di questi titoli di specializzazione sia requisito indispensabile ai fini dell'accesso alle procedure concorsuali e dello sviluppo delle competenze professionali richieste oggi al docente di italiano L2. Di quali competenze stiamo parlando? Stando alla normativa attualmente disponibile, ovvero quella relativa al precedente concorso a cattedra del 2016[9], ai candidati della A23 si richiede di dimostrare, in sede d'esame, di possedere precise competenze finalizzate a:

- realizzare una efficace mediazione metodologica-didattica;
- impostare una coerente progettazione curriculare;
- valutare la didattica;
- definire idonee strategie per il miglioramento continuo dell'insegnamento e dell'apprendimento.

Da questi primi riferimenti istituzionali si evince immediatamente come, rispetto al passato, il possesso di sole conoscenze teoriche e disciplinari non sia più l'unico requisito richiesto per accedere al concorso di assunzione. Ciò che interessa valutare oggi sono le effettive capacità pedagogico-didattiche dei futuri insegnanti. Questi ultimi, pertanto, dovranno avvalersi, innanzitutto, di una formazione universitaria e *post laurea* specifica sia per poter accedere al mondo della scuola con un'appropriata formazione teorica ed esperienziale sia per contrastare la diffusa convinzione che vede nella conoscenza di una disciplina anche la capacità di saperla insegnare. Quanto ai contenuti più strettamente didattici, la normativa in esame richiama l'attenzione su alcuni ambiti tematici, quali:

- la cultura italiana, con particolare riferimento agli ambiti storico, sociale, letterario, artistico ed economico;
- le varietà sociolinguistiche dell'italiano;
- l'analisi di testi letterari con riferimento ai vari generi letterari relativi ad autori della tradizione letteraria italiana;
- l'analisi di testi di attualità e testi tecnico-scientifici con riferimento ai vari linguaggi specifici relativi ai settori tecnici e professionali;

- le teorie più rilevanti relative all'acquisizione di una lingua seconda e/o straniera;
- le diverse metodologie di insegnamento linguistico, le tecniche e le attività per il raggiungimento di diversi risultati di apprendimento in relazione ai bisogni dei soggetti che apprendono e ai contesti di apprendimento diversi sia nella scuola secondaria di primo sia di secondo grado.

Non mancano, infine, riferimenti alla capacità di sapere progettare interventi formativi in contesti multilingui e multiculturali, saper declinare gli obiettivi della lezione ai livelli di competenza comunicativa dei singoli alunni, conoscere e saper usare le diverse tipologie di verifica e di valutazione degli apprendimenti, sviluppare l'autonomia degli studenti, integrare le nuove tecnologie nell'attività didattica quotidiana, conoscere la politica linguistica e i documenti rilevanti dell'Unione Europea e del Consiglio d'Europa, valorizzare le competenze di ognuno in un'ottica inclusiva, facendo particolare attenzione agli alunni con disturbi specifici di apprendimento o bisogni educativi speciali. Pur trattandosi di linee guida sintetiche, ci sembra che queste rispondano in maniera efficace alla possibilità «di impostare e affrontare nuovi percorsi formativi di respiro europeo» (Bosisio, 2010: 1), nell'ottica di una maggiore armonizzazione delle politiche linguistico educative d'Europa.

Pertanto, alla luce di quanto esposto, ci avviamo alle nostre conclusioni affermando che se in passato l'insegnante di italiano a stranieri non era una figura professionalmente riconosciuta e non aveva neppure una formazione glottodidattica specifica, oggi lo scenario legislativo si presenta fortemente cambiato. Per quanto ancora in fase di definizione, esso costituisce di fatto il vero punto di partenza verso il riconoscimento giuridico e la valorizzazione della professionalità del docente di italiano a stranieri, o più correttamente, del docente A23.

---

9 In assenza di nuove indicazioni circa il prossimo concorso a cattedra in programma per il 2018, facciamo riferimento ai programmi d'esame redatti in seno al concorso 2016 e presentati nell'Allegato A – Prove e programmi d'esame del D.M.95. L'Allegato A è consultabile online presso il sito http://www.istruzione.it/concorso_docenti/documenti.shtml (ultimo accesso 01.10.2017).

Riferimenti bibliografici

Bosisio C., 2005, *Insegnare italiano L2 oggi: verso un percorso formativo ideale*. In Cambiaghi B., Milani C., Pontani P. (a cura di), 2005, *Europa plurilingue. Comunicazione e didattica*, Milano, Vita e Pensiero, pp. 203-227.
Bosisio C. (a cura di), 2010, *Il docente di lingue in Italia. Linee guida per una formazione europea*, Milano, Mondadori Education S.p.A.
Favaro G., 2010, *Per una scuola dell'inclusione*. URL: https://goo.gl/vN6RFR (ultimo accesso 01.10.2017).

EDILINGUA

NUOVI PROFILI E NUOVI BISOGNI
DEGLI STUDENTI UNIVERSITARI DI ITALIANO L2

Eleonora Fragai - Istituto LdM Firenze
Ivana Fratter - Università di Padova
Elisabetta Jafrancesco - Università di Firenze[1]

1. Introduzione

Il presente articolo ha come oggetto la formazione universitaria dello studente di Italiano L2 e fa riferimento al volume di Fragai, Fratter, Jafrancesco (2017), *Italiano L2 all'università*, in cui si descrivono le peculiarità dei vari profili socioculturali e linguistici di questa specifica tipologia di apprendenti, se ne illustrano i bisogni di formazione linguistica, definendo le competenze trasversali e focalizzando l'attenzione sulle competenze digitali. Il lavoro si basa su recenti indagini condotte in questo settore, sia presso i Centri linguistici universitari[2], sia presso istituzioni italiane e straniere, preposte alla formazione superiore e ha, fra gli obiettivi principali, l'intento di individuare modalità innovative per l'educazione linguistica, che facciano riferimento a una didattica al passo con le esigenze degli studenti universitari di Italiano L2, in termini di obiettivi formativi e metodologie.

2. Internazionalizzazione degli atenei e mobilità studentesca

Negli ultimi tre decenni, le politiche italiane per l'internazionalizzazione del sistema della formazione superiore, inserite nel quadro più generale delle politiche nel settore dell'istruzione e della formazione su scala internazionale, i programmi di mobilità per studenti, docenti, personale tecnico-amministrativo, il numero crescente dei corsi tenuti in lingua inglese, lo snellimento delle procedure di ammissione hanno avuto l'effetto di aprire le porte degli atenei italiani a un numero in costante aumento di studenti provenienti dall'estero, che scelgono l'Italia come meta in cui svolgere i propri studi, per periodi di tempo di lunghezza variabile.

Gli studenti stranieri optano per l'Italia soprattutto per il tradizionale interesse verso lo stile di vita italiano e considerano l'italiano uno strumento indispensabile per accedere ai suoi prodotti di qualità (p. es. arte, musica, letteratura, moda, *design*). Tuttavia, nel corso del tempo, alle motivazioni a carattere culturale si sono aggiunte nuove motivazioni di tipo professionale, collegate all'idea della spendibilità di una lingua straniera, intesa come investimento per una migliore collocazione nel contesto lavorativo. Di conseguenza l'italiano, da tradizionale strumento per accedere ai prodotti intellettuali dell'Italia, è diventato un mezzo per inserirsi adeguatamente sia nel contesto educativo, sia nel mondo del lavoro, anche in relazione alla rilevanza del ruolo economico e culturale dell'Italia a livello mondiale, malgrado la crisi che attanaglia il paese.

I principali promotori dei programmi di mobilità internazionale per l'apprendimento sono in primo luogo le istituzioni europee, che hanno una lunga tradizione in questo settore, risalente alla fine degli anni Ottanta, quando nasce il Programma Erasmus. Vi sono poi il Ministero dell'Istruzione, dell'Università e della Ricerca (MIUR) e il Ministero degli Affari Esteri e della Cooperazione Internazionale (MAECI), che sostengono progetti rivolti a varie tipologie di studenti stranieri intenzionati a studiare in università italiane o in istituzioni non universitarie, che rilasciano però titoli di studio equipollenti a quelli universitari. Si ricordano infine gli atenei pontifici o le facoltà teologiche (oltre 20 nella sola città di Roma), che attraggono in Italia un elevato numero di studenti stranieri, e le numerose università nordamericane, concentrate principalmente in Toscana e nel Lazio, che gestiscono programmi di *study abroad*, richiamando annualmente nel nostro paese, in base ai dati disponibili circa 20.000 studenti, distribuiti in circa 200 programmi (Breby 2013; Fragai, Fratter, Jafrancesco 2017).

Le istituzioni italiane ed estere a cui è stato fatto riferimento sostengono la mobilità degli studenti universitari allo scopo di formare le future classi dirigenti sui valori dell'intercultura e del plurilinguismo, divenuti sempre più rilevanti a causa delle trasformazioni legate all'intensificarsi dei processi di modernizzazione e di globalizzazione, e potenziate dall'enorme sviluppo delle tecnologie digitali e della comunicazione, che hanno rivoluzionato, queste ultime, i sistemi tradizionali di comunicazione, rafforzando e velocizzando le interazioni sociali. Nell'attuale contesto generale, è infatti convinzione diffusa che chi studia all'estero e padroneggia le lingue straniere abbia maggiori possibilità di trovare un impiego di chi non ha alle spalle un'esperienza internazionale.

---

1 Il presente lavoro è frutto della collaborazione delle tre Autrici. È di Fragai il par. 3, di Fratter il par. 4, di Jafrancesco il par. 2. I parr. 1 e 5 sono stati elaborati in comune.

2 Il settore di studi riguardante la didattica dell'Italiano L2 a studenti universitari è molto vivace grazie anche al lavoro di AICLU e CERCLES, le associazioni del Centri linguistici in Italia e all'estero.

Limitandosi ai dati più recenti del MIUR sulla consistenza numerica degli studenti internazionali nel nostro paese, si rileva che nell'anno accademico 2015-2016 gli stranieri iscritti nei vari atenei italiani sono 72.092. La comunità estera maggiormente rappresentata è quella europea (50,1%), di cui il 40,2% proviene da paesi extra-UE e il 9,9% da paesi comunitari, vi sono poi gli studenti asiatici (27,7%) e infine gli studenti africani (14,2%). Prevalgono, in relazione ai continenti di provenienza, albanesi (il 13,9% sul totale degli iscritti stranieri), rumeni (10,5%), cinesi (10%) e camerunensi (3,5%). Considerando invece le immatricolazioni, sul totale di immatricolati nel 2015-2016 (pari a 271.000 unità) gli studenti stranieri sono il 5% e sono principalmente rumeni (14,7%), albanesi (12,6%) e cinesi (9,2%) (Caritas, Migrantes 2017).

2.1. Evoluzione dei profili socioculturali e linguistici degli studenti universitari

Le iniziative per l'internazionalizzazione della formazione superiore hanno cambiato nel tempo le caratteristiche socioculturali e linguistiche del pubblico degli studenti stranieri che si avvicina alla lingua italiana. Nel sistema universitario italiano, si è assistito infatti a un mutamento delle comunità straniere presenti: se in passato prevalevano gli studenti europei (p. es. tedeschi, svizzeri e greci), che studiavano in genere in Italia per superare gli ostacoli posti dal numero chiuso, presente in alcuni corsi di laurea delle loro università, oggi le comunità straniere con il maggiore dinamismo sono soprattutto, come già evidenziato, quelle che provengono da paesi europei extra-UE (p. es. Albania) e asiatici (p. es. Cina). Tuttavia, secondo i dati del Ministero degli Interni, sono numerosi anche gli studenti di paesi terzi, come Camerun, Iran, Marocco. Questo nuovo scenario della formazione superiore presenta un profilo di studenti internazionali notevolmente differenziato al suo interno, che ha ricadute importanti sulla formazione in Italiano L2.

La differenziazione interna del profilo dello studente straniero universitario riguarda da un lato il contesto di inserimento, cioè il fatto di frequentare o meno istituzioni universitarie italiane, dall'altro tipo di progetto di studio con cui gli studenti giungono in Italia (a breve, medio, lungo termine). In base a tale distinzione e ai dati disponibili, è possibile individuare due macrocategorie di studenti stranieri universitari in Italia: *a)* studenti inseriti in istituzioni universitarie italiane; *b)* studenti inseriti in università nordamericane.

Quanti appartengono alla macrocategoria *(a)* sono distribuiti in tutta la penisola e, con qualche semplificazione, sono distinguibili in due sottocategorie: 1. studenti in mobilità internazionale con progetti/programmi UE ed extra-UE, presenti in Italia per periodi di tempo anche molto brevi (p. es. studenti Erasmus+,

studenti Marco Polo, o Turandot, studenti di programmi finanziati dallo Stato italiano); 2. studenti iscritti alle università italiane, che frequentano corsi di laurea, scuole di dottorato, master ecc., soggiornanti in modo stabile nel nostro paese. Gli studenti della macrocategoria *(b)* frequentano invece college/università statunitensi o canadesi, presenti soprattutto nell'Italia centrale e soggiornano in Italia per circa un semestre accademico, vale a dire per circa quattro mesi. Per la formazione linguistica in Italiano L2, gli studenti stranieri inseriti nelle istituzioni universitarie italiane fanno in genere riferimento ai Centri linguistici universitari, o a strutture analoghe, mentre gli studenti di progetti di università nordamericane svolgono la loro formazione linguistica, con tutto il percorso previsto dallo *study abroad*, presso le sedi italiane delle loro istituzioni di afferenza.

Altri fattori che contribuiscono a modificare il pubblico tradizionale dell'Italiano L2 e ad aumentare la diversificazione interna del profilo, legati alle politiche per l'internazionalizzazione dei sistemi di formazione superiore, riguardano, per esempio, l'offerta crescente di corsi tenuti in inglese, che attrae studenti di un più ampio numero di paesi stranieri. La maggiore varietà delle provenienze degli studenti internazionali fa emergere ovviamente problematiche relative alla gestione del contatto linguistico con lingue e culture anche molto distanti da quella italiana. Infatti, mentre gli studenti in mobilità europea hanno in genere una L1 neolatina (Fragai, Fratter, Jafrancesco 2017), o comunque appartengono ad aree culturali vicine a quella italiana, gli studenti di programmi come Marco Polo o Turandot, oppure altre tipologie di studenti internazionali hanno solitamente lingue tipologicamente distanti dall'italiano (p. es. arabo, cinese, hindi, giapponese, russo), con scritture e alfabeti diversi, e necessitano di tempi lunghi per apprendimento dell'Italiano L2.

Oltre alla vicinanza o alla lontananza linguistica e culturale dall'italiano, altre variabili che influenzano l'apprendimento dell'Italiano L2 sono, per esempio, la stabilità o la temporaneità del soggiorno in Italia, la frequenza o l'esonero dalla frequenza dei corsi universitari, l'obbligatorietà o la non necessità di sostenere le prove di verifica. Inoltre, vi sono studenti, ricercatori, docenti stranieri presenti in Italia per svolgere ricerche o per insegnare (*teaching mobility*), che, non dovendo né assistere alle lezioni universitarie, né sostenere prove per la valutazione delle competenze, e lavorando, anche in relazione al tipo di ricerca svolta, in contesti in cui l'inglese è la lingua veicolare, non hanno bisogno di padroneggiare l'italiano, sebbene in genere desiderino studiarlo con motivazioni principalmente intrinseche, di tipo integrativo. Pertanto, l'esistenza di studenti con caratteristiche e bisogni di apprendimento linguistico differenti influenza non solo la motivazione allo studio dell'italiano, ma anche la facilità/difficoltà dell'apprendimento linguistico e il livello di competenza che è possibile raggiungere.

Alla luce delle considerazioni fin qui fatte, si sottolinea l'esigenza di ripensare i modelli formativi per il pubblico degli studenti universitari di Italiano L2, elaborando percorsi didattici che tengano in considerazione gli obiettivi delle politiche nazionali ed europee in materia di plurilinguismo e di sviluppo di competenze trasversali ai vari settori disciplinari (p. es competenza digitale) e che soddisfino al contempo i bisogni di formazione linguistica e culturale di questo specifico profilo di apprendenti, fornendo loro strumenti culturali, metodologici e relazionali per sviluppare competenze che li mettano in grado di partecipare alla vita sociale e di incidere sulla realtà.

3. Italiano L2 all'università e obiettivi di formazione

Nei paragrafi che seguono (cfr. parr. 3.1, 3.2) viene presentata una sintetica ricognizione sulle esigenze di formazione degli studenti universitari di Italiano L2, legate ai processi di internazionalizzazione dei sistemi formativi (cfr. par. 2). L'obiettivo è quello di offrire ai docenti una chiave di lettura per generare azioni formative appropriate al contesto accademico, in relazione alla gestione di specifici compiti comunicativi, che implicano la capacità di saper gestire testi anche attraverso una costante attenzione a pratiche di riflessione meta cognitiva.

3.1. La dimensione testuale

Per quanto concerne la dimensione testuale, vanno individuate le competenze necessarie per agire in modo adeguato in contesti di studio che prevedono la gestione di generi testuali, scritti e orali, centrati su contenuti disciplinari con diversi gradi di formalità, proponendo un percorso di «educazione alla testualità» (Alfieri 2016), intesa come capacità di cogliere il grado di adeguatezza di un testo a fattori del contesto extralinguistico. Si sottolinea infatti come l'adeguata gestione di un testo implichi saper fare delle scelte linguistiche che sono strettamente connesse sia al testo da produrre (genere testuale e suoi tratti costitutivi a livello macro- e micro-testuale), sia al contesto in cui verrà prodotto. Tali scelte sono legate al livello più o meno elevato di formalità del genere testuale e alla capacità di gestire la «dimensione verticale»[3] dei testi – «che riguarda, nello specifico, la variazione propriamente diafasica, in quanto i testi delle materie disciplinari sono contraddistinti da livelli diversi di formalizzazione, che variano in

3 La «dimensione verticale» (Gualdo, Telve 2011) riguarda la variazione propriamente diafasica, in quanto i testi delle materie di studio sono contraddistinti da livelli diversi di formalità, che variano in rapporto al contesto d'uso e al genere testuale.

rapporto al contesto d'uso e al genere testuale» (Fragai, Fratter, Jafrancesco 2017: 131) – perché «ciò che in un certo tipo di testo (orale o scritto informale) è accettabile, non lo è o lo è di meno in testi più formali, specie se scritti» (Coletti 2015: 200).

In questa prospettiva lo sviluppo della competenza linguistico-comunicativa si correla da un lato allo sviluppo della competenza testuale, che ne è parte integrante, e dall'altro, dal punto di vista della formazione, allo sviluppo della capacità di riconoscimento di generi testuali particolari, in cui, appunto, la lingua "si materializza", e che sono ascrivibili a certe tipologie testuali più generali (Palermo 2013). Vedovelli (2010) offre una valida argomentazione in tal senso quando afferma che i generi testuali stessi sono da assumere come obiettivi formativi prioritari nel caso in cui tali generi testuali non siano presenti nella lingua e nella cultura di partenza, ma altresì nel caso in cui un genere testuale sia diffuso nella lingua e nella cultura dell'apprendente, sebbene si presenti con caratteristiche linguistiche o extralinguistiche differenti da quelle con cui esso si presenta nella L2, come nel caso del colloquio formale durante un esame orale (Bacchelli, Losi 2005).

Condizione necessaria per lo svolgimento dei compiti previsti è dunque lo sviluppo della capacità di saper riconoscere i tratti costitutivi che, differenziando un genere testuale da un altro, contraddistinguono i generi testuali d'interesse, tematizzabili in modo esplicito in momenti e in spazi dedicati.

La progettazione di un percorso di formazione per studenti universitari di Italiano L2 richiede, pertanto, un'attenta pianificazione, che tenga sotto controllo i fattori relativi, a livello macro-testuale, alla selezione dei generi testuali di interesse – caratterizzati da livelli diversi di formalizzazione – e, a livello micro-testuale, alla selezione di alcuni elementi linguistici tendenzialmente usati più in un genere testuale che in altri (Fragai, Fratter, Jafrancesco 2017: 128-142). È il caso, per esempio, di elementi discorsivi con funzione interazionale che qualificano la gestione dei turni di parola durante una «discussione collettiva su letture assegnate, una forma di comunicazione orale di tipo dialogico su un argomento prestabilito, in cui il docente introduce, guida e indirizza il discorso, usando strategie che facilitano e controllano lo svolgimento del compito» (Fragai, Fratter, Jafrancesco 2017: 135).

3.2. La dimensione metacognitiva

Considerate le specificità del profilo socioculturale dello studente straniero universitario, che si avvicina all'italiano per motivazioni di studio e in situazioni comunicative dove è fondamentale saper gestire testi con differenti gradi formalità, è necessario lo sviluppo di una pluralità di competenze, connesse con l'impiego di strategie di apprendimento nello svolgimento dei

6   Completate la tabella.

I pronomi combinati nei tempi composti

-Chi l'ha detto a Flora?
-**Gliel'ha** detto suo fratello.

-Chi vi ha regalato questa cornice?
-**Ce l'ha** regalat.... mio cugino.

-Quanti libri gli hai prestato?
-**Gliene ho** prestati tre.

-Quando ti hanno portato questi dolci?
-**Me li hanno** portat.... ieri.

-Gianni ti ha presentato le sue amiche?
-Sì, **me le ha** presentate tempo fa.

-Quante e-mail ti hanno spedito?
-**Me ne hanno** spedite parecchie.

Come vedete, il participio passato concorda con il pronome diretto che lo precede anche quando fa parte di un pronome combinato.

7   Rispondete alle domande.

1. Quanti francobolli ti sono serviti? *(tre)*
2. Chi ha dato il permesso al piccolo? *(io)*
3. Chi ha dato la macchina a Tommaso? *(suo padre)*
4. Quando ti ha restituito i soldi che ti doveva? *(stamattina)*
5. Vi hanno portato le sedie che avevate ordinato? *(solo due)*

9 - 12

C   Incredibile!

CD 1
4

1   Ascoltate il dialogo. Secondo voi, qual è la notizia più importante?

● Finalmente a casa dopo un mese a New York! Allora, sorellina, cos'è successo nella nostra piccola città?
● Vediamo... ah, Marianna si sposa.
● Davvero?! Credevo che non si sarebbe sposata mai. Poi?
● Eh... Riccardo ha comprato una *Ferrari*!
● Possibile?! Ma dove cavolo li trova i soldi? Altro?
● Sì... Marco e Raffaella si sono lasciati!
● Incredibile! Ma chi l'avrebbe mai detto?
● E non solo: lei si è messa con Alberto.
● Non ci credo! Ma guarda quante notizie.
● Cos'altro? ...Ah, zia Maria ha vinto al totocalcio!
● Ma va! Domani le farò visita!
● Ah, un'ultima cosa: il tuo ex si è fidanzato!
● Non me lo dire! Va be', tanto ormai non me ne frega più niente!
● Vedi quante novità nella nostra piccola città?
● Ma quale piccola? Qua è peggio di New York!!!

2   Cercate di ricordare quali di queste espressioni avete ascoltato e letto!

<table>
<tr><th colspan="2">sorpresa</th><th colspan="2">incredulità</th></tr>
<tr><td>☐ *Davvero?!*</td><td>☐ *Ma va!*</td><td>☐ *Non ci credo!*</td><td>☐ *Incredibile!*</td></tr>
<tr><td>☐ *Scherzi?!*</td><td>☐ *Chi l'avrebbe mai detto?*</td><td>☐ *Non me lo dire!*</td><td>☐ *No!*</td></tr>
<tr><td>☐ *Caspita!*</td><td>☐ *Possibile?!*</td><td>☐ *Non è vero!*</td><td>☐ *Impossibile!*</td></tr>
</table>

3   Sei *A*: riferisci a *B* le notizie che seguono. Dove necessario puoi usare espressioni come "hai sentito che...?", "lo sai che...?", "hai saputo che...?" ecc.

Sei *B*: reagisci alle notizie che ti riporta *A*.

- *la vostra squadra ha perso di nuovo*
- *una vostra conoscente ha avuto un incidente*
- *un'amica si è finalmente laureata*
- *i professori faranno sciopero*
- *la vostra cantante preferita ha annullato il concerto nella vostra città*

> Ancora una vittoria per la squadra torinese!
> **Juventus-Parma 2-0**

> Scuola: scioperi in vista
> **Esami a rischio!**

➡ 13

4   Provate a scrivere due mini dialoghi *(50-60 parole)* usando le espressioni del punto 2.

D   Quante domande!

1   Ascoltate le domande. Potete pensare a possibili risposte?

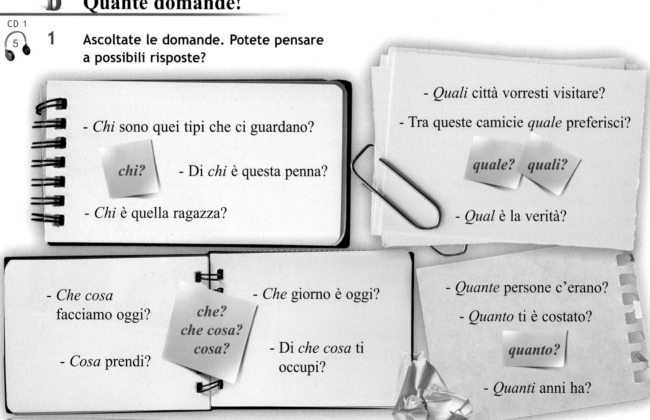

- *Chi* sono quei tipi che ci guardano?

chi?   - Di *chi* è questa penna?

- *Chi* è quella ragazza?

- *Quali* città vorresti visitare?

- Tra queste camicie *quale* preferisci?

quale?   *quali?*

- *Qual* è la verità?

- *Che cosa* facciamo oggi?

che? *che cosa?* *cosa?*

- *Cosa* prendi?

- *Che* giorno è oggi?

- Di *che cosa* ti occupi?

- *Quante* persone c'erano?

- *Quanto* ti è costato?

quanto?

- *Quanti* anni ha?

2   Completate le domande con gli interrogativi del punto precedente.

1. .... hai regalato a tuo fratello?
2. Per .... motivo impari l'italiano?
3. .... era al telefono?
4. Da .... dipende se vieni o no?
5. .... è stato il momento più importante della tua vita?
6. Da .... tempo studi l'italiano?

14 - 16

3   A coppie discutete di un esame/periodo della scuola che è stato particolarmente significativo. Poi riferite alla classe se le vostre esperienze sono state simili o diverse.

4   Un'esperienza comune per molti italiani sono gli "esami di maturità": un periodo importante perché coincide con la fine della scuola. Completate i brevi testi, il ricordo che hanno dell'esame quattro noti personaggi, con le forme corrette dei verbi tra parentesi.

"Ho fatto tre volte la terza superiore"

SILVIO MUCCINO (attore)

Ho preso 80. Non (1. studiare) .... ma sono stato molto fortunato all'orale!!! Ho fatto una tesina video un po' commovente e li (2. convincere) .... tutti. Il ricordo che (3. avere) ....? È stato un incubo, me lo (4. sognare) .... ancora la notte. Per quanto riguarda la preparazione, che dire... (5. essere) .... un mese terribile.

VALERIO MASTANDREA (attore)

Non ricordo molto degli esami, (6. passare) .... troppi anni, ma ricordo che ho consegnato il compito di matematica in bianco. Un mio compagno mi (7. passare) .... le soluzioni, ma io non (8. volere) .... copiare perché tanto era inutile. Quando si è sposato, ho fatto incorniciare il foglietto che mi (9. passare) .... e quello è stato il mio regalo di nozze.

LINUS (d.j.)

Io ho fatto tre volte la terza superiore, perché in quegli anni cominciavo a lavorare alla radio e quindi (10. essere) .... uno studente molto distratto. Comunque quando ho fatto gli esami di maturità ero più distaccato rispetto ai miei compagni. In pratica (11. limitarsi) .... a studiare quello che (12. pensare) .... mi avrebbero chiesto. A tutti i ragazzi auguro comunque di rendersi conto che dall'esame non (13. dipendere) .... la loro vita.

CARLO LUCARELLI (scrittore)

Ricordo che c'era una specie di terrorismo nell'aria durante gli esami di maturità: ti convincevano che (14. dovere) .... sapere tutto e che comunque ti (15. chiedere) .... ciò che non sapevi. (16. passare) .... l'ultimo mese e mezzo a studiare e basta. Alla fine ero davvero terrorizzato ma non (17. avere) .... con me nessun portafortuna, non come un mio amico che ha deciso di indossare la camicia con cui (18. sostenere) .... l'esame di terza media!

adattato da *Panorama*

5 Rispondete alle domande.

1. Quante volte ha sostenuto gli esami Linus?
2. Quanto tempo ha studiato per la maturità Silvio Muccino?
3. Che cosa ha regalato Valerio Mastandrea al suo vecchio compagno di scuola per il suo matrimonio?
4. Perché Carlo Lucarelli aveva paura degli esami?

 ## 6 Ancora domande! In coppia, scegliete l'interrogativo giusto tra quelli dati.

1. Io l'ho vista ieri mattina, tu *quando / quanto* l'hai sentita?
2. Di *dove / quando* è Mauro?
3. Ma *perché / quanto* siete partiti di nascosto?
4. *Dove / Quando* pensi di venire?
5. Sai *dove / perché* sono i miei occhiali?

7 Completate le domande con tutti gli interrogativi visti in questa unità.

1. .... volte ci siete andati?
2. Tu .... l'hai saputo?
3. Amore, dimmi: .... hai nascosto i dolci?
4. Ma .... avete discusso per tre ore?
5. Non è vero, ... te l'ha detto?
6. Per .... motivo non hai accettato?

 17 - 18

E Vocabolario e abilità

1 Completate le frasi con queste parole: dipartimento, iscrizione, frequenza, prove, esami di ammissione, mensa

1. In alcune facoltà la .... è obbligatoria.
2. In Italia l'ingresso in molte università è libero: non sono previsti ....
3. Nella Facoltà di Lettere e Filosofia c'è il ....
.... di Italianistica.
4. Gli esami spesso comprendono sia ....
scritte che orali.
5. Anche alle università statali bisogna pagare delle tasse di ....
....
6. Gli studenti mangiano spesso alla
....

2 In quale facoltà bisogna laurearsi per diventare...? In coppia, prima completate le professioni e poi abbinatele, come nell'esempio, alle facoltà. Attenzione: queste ultime sono di più!

Medicina ..6..

Odontoiatria .....

Ingegneria .....

Giurisprudenza .....

Architettura .....

Psicologia .....

Lingue .....

Lettere .....

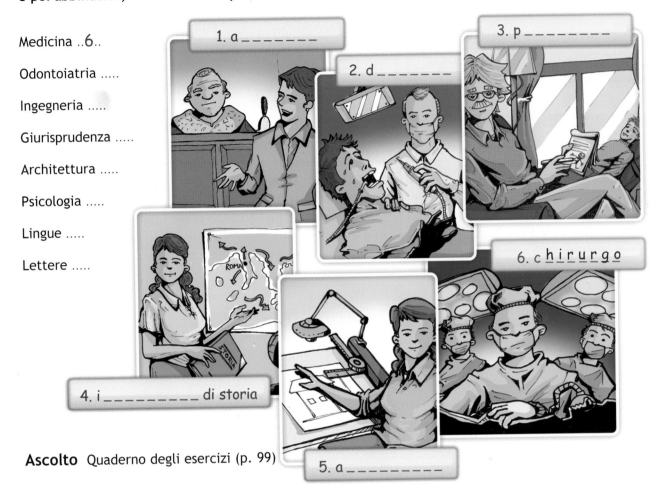

1. a _ _ _ _ _ _ _

2. d _ _ _ _ _ _ _

3. p _ _ _ _ _ _ _

4. i _ _ _ _ _ _ _ _ _ di storia

5. a _ _ _ _ _ _ _ _ _

6. c <u>h i r u r g o</u>

CD 1
6

3 **Ascolto** Quaderno degli esercizi (p. 99)

4 **Situazioni**

Role-play

1. *A* è uno studente interessato a una vacanza-studio in Italia: a pagina 175 troverà alcune possibili domande da fare; *B* lavora nella segreteria di un'organizzazione che si occupa di questo e a pagina 176 troverà materiale informativo per rispondere ad *A*.

2. Pensi di andare a studiare in un'altra città poiché lì la facoltà che hai scelto è considerata una delle migliori. Il problema è che il/la tuo/a ragazzo/a (*B*) non ne vuole sapere. Tu (*A*) cerchi di spiegargli/le che non si deve preoccupare e che la distanza non mette a rischio la vostra relazione.

5 **Scriviamo**

Scrivi una lettera ad un amico italiano per annunciargli la tua intenzione di andare a studiare a Milano spiegandogli i motivi: alto livello della facoltà scelta, amore per l'Italia e così via. In più, chiedi informazioni sulla vita studentesca in Italia. *(80-120 parole)*

Test finale

La scuola...

I genitori italiani possono portare i loro figli all'**asilo nido** e poi, a 3 anni, alla **scuola materna**. L'iscrizione non è obbligatoria.

La *scuola dell'obbligo* comincia a 6 anni con la **scuola elementare** che dura 5 anni: i bambini imparano a leggere e a scrivere, apprendono nozioni di cultura generale e cominciano a studiare una lingua straniera (inglese o francese).

I guai*... cominciano con la **scuola media**. Ormai non ci sono più maestri, ma un insegnante per ogni materia. Alla fine del terzo anno, dopo un esame, gli alunni ottengono la *licenza media*.

Chi decide di continuare gli studi può scegliere tra diversi tipi di **scuola media superiore**: *liceo classico, scientifico, linguistico, artistico, istituti tecnici* e *scuole professionali*. La durata degli studi è di 4 o 5 anni e alla fine c'è l'*esame di maturità* che prevede prove scritte e orali sulle materie dell'ultimo anno. Chi le supera (la quasi totalità degli studenti) ottiene il *diploma di maturità*.

1. La scuola dell'obbligo:
- ☐ a. comprende la scuola superiore
- ☐ b. comprende la scuola materna
- ☐ c. comincia subito dopo la scuola materna
- ☐ d. dura 5 anni

2. La scuola media:
- ☐ a. dura quanto quella elementare
- ☐ b. dura quanto quella superiore
- ☐ c. prevede un esame alla fine dell'ultimo anno
- ☐ d. prevede videolezioni di lingue straniere

3. La scuola superiore:
- ☐ a. non è soltanto di un tipo
- ☐ b. dura 3 anni
- ☐ c. rende gli studenti più maturi
- ☐ d. prevede un esame orale finale

...e l'università italiana

Tutti gli studenti, in possesso di diploma di scuola superiore, possono iscriversi a una facoltà di loro scelta, senza esami di ammissione. Per le facoltà a numero chiuso, invece, come ad esempio Odontoiatria e Medicina, è obbligatorio il superamento di una prova scritta.

1000 1ª media | 965 Licenza media | 891 1ª superiore | 654 Diploma superiori | 468 1° università | 127 Laurea

CHI STUDIA MENO STUDIA MEGLIO
Durata media degli studi universitari nella Ue

Non sempre chi frequenta di più ottiene risultati migliori. Anzi, secondo i dati forniti da Eurostat i paesi nei quali gli studenti passano più tempo negli atenei sono anche quelli nei quali la qualità dello studio è inferiore. La causa è l'organizzazione più carente che si traduce in una perdita di tempo per gli studenti.

Paese	Anni
G. Bretagna	3,5
Finlandia	3,8
Irlanda	4,1
Grecia	4,5
Austria	4,6
Belgio	4,9
Olanda	5,3
Germania	5,4
Svezia	5,4
Spagna	5,4
Portogallo	5,8
Francia	5,8
Italia	6,2
Danimarca	6,3

Il libero accesso* agli studi universitari, comunque, crea anche dei problemi: università spesso sovraffollate* e bassa percentuale di laureati (circa il 30%). Ciò significa che molti sono gli studenti iscritti che non riescono a laurearsi e molti sono i cosiddetti "fuori corso", gli studenti cioè che presentano con ritardo la loro *tesi di laurea*. D'altra parte, l'Università italiana, nonostante l'alto livello di preparazione che offre, è un po' staccata dal mondo del lavoro; così anche con una laurea in mano non è facile trovare un'occupazione.

La durata di un corso di laurea varia dai 3 ai 6 anni, a seconda della facoltà. Negli ultimi anni, tuttavia, esiste anche la cosiddetta *laurea breve*, un diploma universitario che si può ottenere in 3 anni, ed è richiesto in specifiche aree professionali. Dopo la laurea esistono *corsi di specializzazione** e *dottorati di ricerca** di alto livello.

La maggior parte delle università italiane sono statali. Gli studenti devono, comunque, pagare le *tasse d'iscrizione* all'inizio di ogni anno accademico, che variano a seconda dell'università e della facoltà. Esistono, inoltre, poche università private, Politecnici, Istituti universitari e le Università per Stranieri di Perugia, di Siena e di Reggio Calabria.

1. Quali sono i vantaggi e gli svantaggi delle università italiane?

2. Ci sono differenze tra il sistema universitario italiano e quello del vostro paese? Parlatene in breve.

Glossario: <u>guaio</u>: difficoltà; <u>accesso</u>: ingresso, entrata; <u>sovraffollato</u>: quando in un luogo c'è troppa gente; <u>tesi di laurea</u>: lavoro scritto su un argomento che lo studente presenta e discute all'esame di laurea; <u>corso di specializzazione</u>: ulteriore periodo di studio e lezioni che permette di ottenere un titolo professionale specifico dopo la laurea; <u>dottorato di ricerca</u>: ulteriore periodo di studi e ricerche, in ambito universitario, dopo la laurea.

L'Università di Bologna è la più antica del mondo. Molte università italiane hanno sede in bellissimi e maestosi palazzi, costruiti cinque o più secoli fa.

Attività online

Autovalutazione
Che cosa ricordate dell'unità 1?

1. Abbinate le frasi.

1. Me lo riporti domani, no?
2. Che classe fai?
3. Scusa, la colpa è tutta mia.
4. Me l'ha detto lui!

a. La seconda superiore.
b. Sì, non ti preoccupare!
c. Incredibile!
d. Non fa niente!

2. Sapete...? Abbinate le due colonne.

1. rispondere a delle scuse
2. esprimere sorpresa
3. esprimere incredulità
4. esprimere dispiacere

a. Non è vero!
b. Peccato!
c. Figurati!
d. Ma va!

3. Rispondete o completate.

1. Un tipo di liceo: ....
2. A che età comincia la scuola elementare? ....
3. Tre interrogativi: ....
4. Le + li: ....

4. Scoprite, in orizzontale e in verticale, le otto parole relative alla scuola e all'università.

T	R	O	L	A	S	M	I	W	A
S	C	A	P	I	T	O	L	O	L
U	C	A	M	M	E	N	S	A	U
D	L	M	A	E	S	T	R	A	N
I	E	B	T	L	O	E	G	T	N
E	T	H	E	A	C	O	R	S	O
Y	T	I	R	M	Y	M	A	N	I
I	E	S	I	E	S	A	F	B	R
U	R	M	A	T	I	S	T	O	A
R	E	L	I	N	G	U	E	E	Z

Verificate le vostre risposte a pagina 170. Siete soddisfatti?

Piazza Grande, Arezzo

Per cominciare...

1 **Lavorate in coppia. Abbinate le parole alle foto.**

a. carta di credito, b. sportello bancomat,

c. contanti, d. sportello, e. assegno

2 **Che rapporto avete con i soldi? In genere, riuscite a risparmiare?**

CD 1
7

3 **Ascoltate il dialogo e indicate le affermazioni giuste.**

1. Carla ha voluto aprire un conto corrente
   a. perché è obbligatorio per gli studenti
   b. per poter ricevere soldi dai suoi
   c. anche se non ne aveva bisogno

2. Chi apre questo conto corrente
   a. ha uno sconto in alcuni negozi
   b. riceve cd e libri in regalo
   c. deve fare la fila

In questa unità...

1. ...impariamo diversi modi di formulare una domanda, a scrivere una lettera formale, a ri-spondere a un annuncio di lavoro, a scrivere un Curriculum Vitae;
2. ...conosciamo i pronomi relativi, delle espressioni particolari con che e cui, le forme stare + gerundio e stare per + infinito;
3. ...troviamo alcune informazioni sull'economia italiana e sul made in Italy.

A **Proprio il conto che mi serviva!**

CD 1

1 Ascoltate di nuovo e verificate le vostre risposte all'attività precedente.

Carla: Ciao, Stefano. Guarda!

Stefano: Oh, ciao. Cos'è?

Carla: Il mio bancomat! Ricordi, quel conto corrente di cui ti parlavo? L'ho finalmente aperto!

Stefano: Ah sì, brava! ...Ma io non ho ancora capito a cosa ti serve un conto, se fra sei mesi andrai via.

Carla: Te l'ho detto, così i miei mi possono mandare i soldi più facilmente... e poi è anche più sicuro tenere i soldi in banca, no?

Stefano: Eh sì, hai ragione. È per questo che sei così contenta?

Carla: Sono contenta perché credo di aver fatto la scelta giusta... almeno l'impiegata con cui ho parlato mi ha convinta. È un nuovo conto corrente bancario pensato apposta per gli studenti, ai quali offre molti vantaggi.

Stefano: Tipo?

Carla: Prima di tutto mi hanno dato questo bancomat con il quale posso evitare le file in banca e fare operazioni per telefono e via Internet. E poi potrò usarlo anche come carta di credito in molti negozi e avrò sconti su libri, cd e anche vestiti!

Stefano: Ah, ecco la ragione principale per cui hai aperto questo conto: lo shopping!

Carla: Spiritoso! Al contrario, l'ho fatto proprio per usare i miei soldi in maniera più intelligente. E dovresti farlo anche tu!

Stefano: Io?! No, cara! E il motivo è che ho già un conto in rosso e una carta di credito che uso troppo!

2 Leggete il dialogo, da soli o in coppia, e mettete in ordine cronologico le affermazioni che seguono.

- ☐ Carla va in banca.
- ☐ Carla spiega a Stefano i vantaggi del conto che ha aperto.
- ☐ Carla apre un conto corrente.
- ☐ Carla mostra a Stefano il suo bancomat.
- ☐ L'impiegata dà informazioni a Carla.
- ☐ Carla dice a Stefano che vuole aprire un conto corrente.

3 Completate il dialogo tra Carla e l'impiegata di banca, scegliendo il pronome corretto.

imp.:   Ha detto che si trova in Italia per un corso di lingua, vero?

Carla: Sì, e il motivo per cui/a cui mi serve un conto è che i miei mi mandano soldi dall'estero. Se non sbaglio, c'è un conto per studenti il quale/di cui ho sentito parlare.

imp.:   Sì, infatti, ce n'è uno la quale/che presenta dei vantaggi per chi studia: prima di tutto ha un tasso d'interesse che/a cui è più alto del solito; secondo, diamo un bancomat con il quale/con la quale può prelevare da un qualsiasi sportello automatico e fare altre operazioni da casa.

Carla: Via internet?

imp.:   Appunto, ma anche per telefono. Infine, il bancomat funziona anche come carta di credito e offre il 10% di sconto sugli acquisti fatti.

Carla: Ah, perfetto! Gli sconti sono una cosa con cui/di cui noi studenti abbiamo davvero bisogno!

4 Rispondete per iscritto *(15-20 parole)* alle domande.

1. Per quali motivi Carla è contenta di aver aperto questo conto corrente? ....

....

2. Qual è, secondo voi, il vantaggio più grande che offre? ....

....

3. Perché a Stefano non interessa aprire un conto corrente? ....

....

5 Lavorate in coppia. Osservate la tabella. C'è qualche differenza tra le prime due frasi (1-2) e le ultime due (3-4)?

Il pronome relativo *che*

> 1. Il signore **che** parla in tv è un mio professore.
> 2. Conosci quei ragazzi **che** sono seduti sulle scale?
> 3. Il libro **che** sto leggendo è molto interessante.
> 4. Le scarpe **che** vorrei comprare sono troppo care.

Come potete notare il pronome relativo *che* è indeclinabile e si riferisce al soggetto (esempi n. 1 e 2) oppure all'oggetto (esempi n. 3 e 4).

> Nella frase "Ho incontrato la ragazza di Michele *che* lavora in banca" il pronome relativo *che* potrebbe riferirsi a Michele o alla sua ragazza. In questi casi si usa soprattutto il pronome *il quale* per evitare equivoci:
> "Ho incontrato la ragazza di Michele, *la quale* lavora in banca".

Attenzione: *Questi ragazzi **li** ho incontrati ieri.*
ma: *Questi sono i ragazzi **che** ho incontrato ieri.*

---

6 Costruite frasi orali secondo l'esempio.

> Luca ha un fratello; si chiama Mauro. (*Luca...*)
> *Luca ha un fratello che si chiama Mauro.*

1. Ho visto un film ieri; il film mi è piaciuto molto. *(Il...)*
2. Ho scoperto una trattoria; la trattoria è veramente buona. *(La...)*
3. Mario mi ha regalato un libro; avevo già letto il libro! *(Mario...)*
4. Penso di comprare una casa; la casa è proprio in centro. *(La...)*
5. Ho mangiato un panino; il panino non era buono. *(Ho...)*

7 Nel dialogo introduttivo abbiamo visto frasi come "quel conto corrente *di cui* ti parlavo", "l'impiegata *con cui* ho parlato", "questo bancomat *con il quale*". A coppie osservate le frasi che seguono: secondo voi, che differenza c'è tra *cui* e *che*?

I pronomi relativi *cui / il (la) quale*

Sono uscita *con* Luigi.	⇨ L'uomo **con cui** sono uscita è Luigi.
Penso spesso *a* mia madre.	⇨ La persona **a cui** penso spesso è mia madre.
Non sono venuta *per* motivi seri.	⇨ I motivi **per cui** non sono venuta erano seri.
Tra gli invitati c'era anche Marcella.	⇨ C'erano tanti invitati, **tra cui** anche Marcella.
Mi parla spesso *di* una ragazza, Rosa.	⇨ Rosa è la ragazza **di cui** mi parla spesso.

Di più sul pronome *cui* in Appendice a pagina 171.

---

8 Come abbiamo visto, al contrario di *che*, il pronome relativo *cui* è sempre preceduto da una preposizione semplice. Anche *cui* può essere sostituito da *il quale*, accompagnato dalla preposizione articolata. Completate le frasi.

Il ragazzo **con cui** esci è simpatico.	⇨	...**con il quale** esci...
La ragazza **di cui** parli si chiama Cinzia?	⇨	.... parli...
Chi sono i ragazzi **a cui** hai dato il tuo numero?	⇨	...**ai quali** hai dato...
Le ragioni **per cui** ci vado sono due.	⇨	.... ci vado...

9 In base agli esempi visti, formate frasi orali secondo il modello.

> Ho molta fiducia **in** Roberto. *(Roberto è un ragazzo...)*
> *Roberto è un ragazzo in cui / nel quale ho molta fiducia.*

1. Sono nato <u>in</u> una città grande, ma caotica. *(La città...)*
2. Ho prestato dei soldi <u>a</u> un caro amico. *(Il ragazzo...)*
3. Mi preoccupo molto <u>di</u> questo fatto. *(È un fatto...)*
4. <u>Con</u> Gianni e Mario esco molto spesso. *(Gianni e Mario sono gli amici...)*
5. Stasera viene anche Mauro; ti ho parlato spesso <u>di</u> lui. *(Stasera viene anche...)*

 4 - 11

B Perché...?

1 Le frasi dei 4 mini dialoghi sono in disordine. Potete abbinare le domande (a-e) alle risposte (1-4)? Di domande ce n'è una in più!

a. Non mi puoi restituire i soldi che ti ho prestato?! E perché no?
b. Per curiosità, per quale motivo hai pagato in contanti?
c. Dimmi una cosa, perché le hai parlato così?
d. Perché mai hai deciso di prendere un altro mutuo?
e. Come mai non hai pagato con la carta di credito?

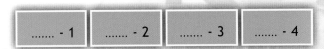

| .... - 1 | .... - 2 | .... - 3 | .... - 4 |

1. Perché altrimenti non avrei mai finito di costruire la casa.
2. Niente, ...semplicemente in questo periodo sono al verde!
3. Perché non avevo con me la carta di credito.
4. Il fatto è che l'ho già usata troppo questo mese.

CD 1
 8

2 Ascoltate i mini dialoghi per confermare le vostre risposte e sottolineate le espressioni utilizzate per rivolgere una domanda.

3 Sei *A*: prima annuncia a *B* quanto segue e poi rispondi alle sue domande:

Role-play

- *hai deciso di aprire una pizzeria*
- *hai deciso di lasciare il tuo lavoro*
- *ti sei lasciato con la tua fidanzata*
- *hai deciso di non usare più carte di credito*
- *hai bisogno di soldi*

Sei *B*: ascolta quello che ti dice *A* e poi chiedi delle spiegazioni.

C Egregio direttore...

1 Secondo voi, quali sono, le differenze tra una lettera amichevole e una formale?

2 Leggete questa lettera e indicate quali delle affermazioni sulla destra sono veramente presenti.

Spettabile Istituto Linguistico "I. Calvino"
Alla cortese attenzione del Direttore

Roma, 6 settembre 20

Egregio Direttore,

in risposta all'annuncio apparso sul vostro sito internet, desidero sottoporre alla Sua attenzione la mia candidatura al posto di insegnante di lingua italiana.
Come vedrà nel mio curriculum vitae allegato, sono laureata in Lingue e ho maturato un'esperienza didattica di 5 anni in Italia e all'estero, insegnando soprattutto ad adolescenti e adulti.
Credo di essere una persona responsabile e adatta alle esigenze di una scuola prestigiosa come la vostra.
In attesa di una Sua cortese risposta, resto a Sua disposizione per un eventuale colloquio.

Distinti saluti,
Marisa Grandi

1. L'annuncio è apparso sul sito della scuola.

2. Chi scrive è insegnante.

3. Ha lavorato anche nella redazione di una rivista.

4. Questa è la seconda volta che scrive all'Istituto.

5. Insieme alla lettera, ha inviato anche il suo C.V.

6. Attualmente non vive in Italia.

7. Fa riferimento alle qualità personali, oltre che professionali.

8. Ha già lavorato con studenti adolescenti.

9. Conosce personalmente il direttore dell'Istituto.

10. L'Istituto "I. Calvino" offre corsi in diverse lingue.

3 Quella appena vista è una lettera formale. Quali parole o espressioni presenti in essa non trovereste in una lettera amichevole? Sottolineatele.

4 Adesso tocca a voi. Immaginate di voler inviare ad un'azienda il vostro C.V. accompagnato da una lettera di presentazione *(80-100 parole)*. Scegliete voi il campo in cui l'azienda opera (abbigliamento, editoria, banche, turismo, automobili, arredamento ecc.) e il posto che vorreste ricoprire al suo interno (segretaria, responsabile vendite, insegnante, ...).

lettere/e-mail formali	
Formule di apertura	**Formule di chiusura**
Egregio Signore/Dottore/Direttore	*(Porgo) Cordiali/Distinti saluti*
Gentile/Gentilissima Signora	*La saluto cordialmente*
Gentili Signori/Signore	*Con stima*
Spettabile Ditta	*In fede*

5 Osservate le frasi che seguono: che differenza c'è nell'uso di *chi* nelle due colonne?

Chi scrive?   *Chi scrive è un'insegnante...*
Con chi sei uscito ieri?   *Chi parla troppo non sa ascoltare.*

Esatto: *chi* non è solo un pronome interrogativo, ma anche relativo e significa *la persona che*. Lo incontriamo spesso nei proverbi.

6 Abbinate in modo da ricostruire alcuni noti proverbi italiani. Lavorate in coppia.

1. Chi tardi arriva... ☐   2. Chi dorme... ☐   3. Chi trova un amico... ☐

4. Chi va piano... ☐   5. Chi cerca... ☐   6. Chi fa da sé... ☐

a. *...non piglia pesci*   b. *...va sano e va lontano*   c. *...fa per tre*
d. *...male alloggia*   e. *...trova un tesoro*   f. *...trova*

D   In bocca al lupo!

1   Prima di leggere il brano, osservate queste parole: conoscete il significato di tutte?

colloquio   candidato   concorso   annuncio   posto   deluso

2   Ricostruite il dialogo scrivendo il numero d'ordine giusto accanto a ciascuna battuta.

1	*Milena:*	Allora, come va la tua ricerca di un nuovo lavoro?
	Gennaro:	Nel senso che fai la domanda, studi mesi e mesi e poi quando vai a fare il concorso trovi migliaia di candidati per pochi posti! Il che, scusa, non mi sembra molto incoraggiante.
	Milena:	In bocca al lupo, allora!
	Gennaro:	Ancora niente… avrò mandato cento curriculum e sai quanti colloqui ho fatto? Solo tre! Senza risultato…
	Milena:	Ah, mi dispiace! Ma hai provato a partecipare a un concorso pubblico?
	Gennaro:	Sì, va be', è giusto quello che dici, però io preferisco continuare a cercare sugli annunci di lavoro…
	Milena:	Sì, magari hai ragione, ma se non ci provi neppure…
	Milena:	In che senso delusi?
	Gennaro:	Perché tu credi ancora nei concorsi? Secondo me, molti di quelli che ci provano rimangono delusi!
10	*Gennaro:*	Crepi!

3   Nel dialogo abbiamo visto: "è giusto quello che dici". Osservate:

forma corretta	forma sbagliata
coloro che (le persone che) credono	~~loro che~~ credono
tutti quelli che	~~tutti che~~
quello che (ciò che) dici	~~questo che~~ dici

Ricordate la frase di Gennaro *Il che, scusa, non mi sembra molto incoraggiante*? Osservate:

Non ha chiamato; questo significa che non verrà.
<u>Non ha chiamato</u>, **il che** significa che non verrà.

4 Lavorate in coppia e scrivete sul vostro quaderno una frase per ciascuna delle forme viste al punto 3.

13

E Curriculum Vitae

 1 Avete mai sostenuto un colloquio di lavoro? Quali sono, secondo voi, le domande più frequenti? In coppia, fate una lista e confrontatela con i compagni.

CD 1

 2 Adesso ascoltate uno dei pochi colloqui che ha fatto Gennaro. Ci sono domande che non avevate previsto?

CD 1

3 Ascoltate di nuovo e completate il curriculum vitae di Gennaro.

CURRICULUM VITAE

INFORMAZIONI PERSONALI
Nome: Gennaro Mossini
Data e luogo di nascita: 18 maggio 1979, (1).........................
Stato civile: celibe
Indirizzo: Via G. Bruno 156, Firenze
Telefono: 338.112233
E-mail: genmos@tiscali.it
Nazionalità: italiana

ISTRUZIONE E FORMAZIONE

TITOLI DI STUDIO
1998: Diploma di Maturità Scientifica (voto: 90/100) ottenuto presso il Liceo.
"T. Tasso" di Pisa.

A.A. 2005-2006. Università degli studi di (2)......................... Laurea in
Economia e Commercio (votazione (3).........................../110)
A.A. 2003-2004 Borsa di (4)......................... - Statson University, Londra

CONOSCENZA DELLE LINGUE
Inglese: (5)......................... comprensione e produzione scritta e orale.
(6).........................: buona comprensione scritta e orale, buona produzione
scritta e orale.

PRATICA DI SISTEMI INFORMATICI
Buona conoscenza del sistema operativo WINDOWS. Buona conoscenza
dei programmi Office, ottima di Word ed Excel. In possesso del Certificato
(7)......................... ECDL.

ESPERIENZA LAVORATIVA
(8)......................... vendite presso la *Soft Systems* di Firenze (2 anni).

INTERESSI PERSONALI
Libri, viaggi, internet

4 Rispondete alle domande.

1. Che problema ha avuto Gennaro durante l'università?

2. Come sono andate le cose per lui in Inghilterra?

3. Che lavoro ha fatto prima di presentarsi a questo colloquio? Perché è andato via da quell'azienda?

4. Secondo voi com'è andato il colloquio? Scambiatevi idee.

5 In coppia completate gli annunci con le parole date sotto. Secondo voi, quale annuncio è più adatto al C.V. di Gennaro?

a. Importante ditta di abbigliamento con sede a Milano ricerca un addetto alle vendite. Il 1. _____ ideale è un diplomato con buona conoscenza dei principali pacchetti informatici e della 2. _____ inglese. Necessaria 3. _____ simile, preferibilmente in negozio di abbigliamento. Affidabilità e precisione costituiscono 4. _____ necessari. Dopo un periodo di prova si offre assunzione a tempo indeterminato. Inviare C.V. via fax al numero 02.3300220.

b. Group Assicurazioni ricerca per la 5. _____ di Pescara neolaureato da inserire come responsabile commerciale. Requisiti richiesti: età inferiore ai 29 anni, laurea, buona 6. _____ dei programmi informatici Office, buona conoscenza dell'inglese. Titoli preferenziali: breve esperienza presso 7. _____ di assicurazione o studi legali; corsi specialistici in ambito commerciale/finanziario. I candidati interessati possono inviare il proprio C.V. tramite il sito internet aziendale alla sezione " 8. _____ di lavoro".

da Trovolavoro - Corriere della Sera

candidato lingua opportunità requisiti sede conoscenza esperienza compagnie

6 Scegliete un annuncio del punto 5 e scrivete un C.V. con i requisiti richiesti.

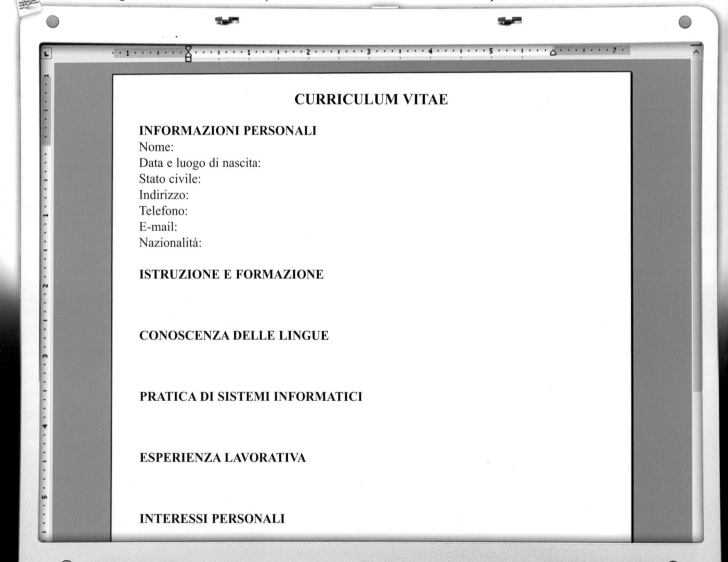

CURRICULUM VITAE

INFORMAZIONI PERSONALI
Nome:
Data e luogo di nascita:
Stato civile:
Indirizzo:
Telefono:
E-mail:
Nazionalità:

ISTRUZIONE E FORMAZIONE

CONOSCENZA DELLE LINGUE

PRATICA DI SISTEMI INFORMATICI

ESPERIENZA LAVORATIVA

INTERESSI PERSONALI

F   Un colloquio di lavoro... in diretta

1   Leggete il titolo dell'articolo che segue e fate delle ipotesi: che cos'è successo, secondo voi?

2   Leggete l'intero testo e indicate le affermazioni corrette.

Imbarazzante equivoco per un giovane negli studi tv di Londra

Alla Bbc per un colloquio di lavoro Va in diretta scambiato per l'ospite

LONDRA - È entrato cardinale, è uscito Papa e nessuno se n'è accorto, o quasi. È andata un po' così a un ragazzo originario del Congo che si è presentato presso gli studi della Bbc per un colloquio di lavoro e invece, per un equivoco epocale, è finito davanti alle telecamere, in diretta mondiale. Per parlare di qualcosa di cui non sapeva assolutamente nulla.

Guy Goma voleva solo proporsi come tecnico informatico. Però: "È successo tutto così all'improvviso, stavo per allontanarmi dalla reception quando un tipo mi ha detto di seguirlo. Andava così di fretta che per stargli dietro mi sono messo a correre. E correndo correndo siamo arrivati in un camerino dove mi aspettava un truccatore, il che mi è sembrato molto strano!"

Dunque, al trucco, poi dritto nello studio della diretta, davanti alla conduttrice della Bbc. Che senza alcuna incertezza lo ha presentato come Guy Sonders, esperto di economia. Lui, che di economia non ne sa assolutamente niente. "Quando ho capito che ero in diretta, di fronte alle telecamere, che cosa potevo fare? Ho cercato di rispondere alle domande e di stare calmo".

Prima domanda della conduttrice: "Che cosa ne pensa della decisione della Banca Barclays di licenziare 400 dipendenti esperti e di assumere al loro posto giovani neo-laureati?". Risposta, azzeccata lì per lì: "Sono molto sorpreso, questa decisione mi è veramente caduta addosso, non me l'aspettavo".

Nel frattempo, il vero Sonders era arrivato e stava aspettando nella lobby, davanti a un monitor. E si è reso conto che il suo nome compariva sullo schermo sotto il volto di uno sconosciuto, il quale cercava, senza molto successo, di dare risposte coerenti alle domande dell'intervistatrice. A quel punto, l'equivoco si è sciolto. Cos'era successo? L'impiegato mandato ad accogliere l'esperto si era semplicemente recato nella reception sbagliata!

A Goma è andata comunque bene: da disoccupato adesso è una specie di "star per caso" ed è stato invitato a partecipare ad altre trasmissioni televisive. Ma alla fine ha ottenuto il posto di lavoro per il quale si era presentato? La Bbc non l'ha fatto sapere...

da la Repubblica

1. Guy Goma è
- a. un esperto di economia
- b. un tecnico
- c. un impiegato della Bbc
- d. una star della Bbc

2. Quando ha capito che era in diretta
- a. è rimasto senza parole
- b. si è alzato ed è uscito
- c. ha mantenuto la calma
- d. ha detto chi era veramente

3. Alla prima domanda ha risposto
- a. che non ne sapeva nulla
- b. che si aspettava questa notizia
- c. di essere d'accordo con il licenziamento
- d. in modo generico

4. La verità è venuta fuori
- a. quando il vero Sonders è arrivato negli studi
- b. mentre il vero Sonders guardava la tv da casa
- c. perché Goma rispondeva in modo incoerente
- d. quando la conduttrice ha capito l'equivoco

3 Nell'articolo abbiamo visto le espressioni "*stavo per* allontanarmi dalla reception" (2º paragrafo) e "*stava aspettando* nella lobby" (5º paragrafo): che cosa significano, secondo voi? Osservate:

> ### *stare* + gerundio   e   *stare per* + infinito
>
> *Questi verbi evidenziano un aspetto specifico dell'azione.*
>
> a. l'aspetto progressivo di un'azione: **Stavo lavorando** quando Elisa mi ha telefonato. Che **stai facendo***?
>
> b. la prossimità dell'azione: **Sto per** uscire, cosa vuoi? / **Stavo per** cadere.
>
> * Di più sul gerundio nell'unità 11 (*Nuovo Progetto italiano 2b*).

4 Completate le frasi con: *sta per, sto per, sta cercando, stai facendo*.

1. È un periodo importante questo: .... prendere una decisione difficile.
2. Che ....? Ti va di fare quattro passi?
3. Paola vuole cambiare casa, proprio in questi giorni .... sugli annunci.
4. Chiara ha preso un prestito e .... aprire un negozio tutto suo.

14

5 Osservate i disegni e raccontate la storiella.

G Vocabolario e abilità

1 Lavorate in coppia. Scrivete accanto alle definizioni, tratte da un dizionario italiano, le professioni date. Attenzione: le professioni sono di più!

segretaria cameriere maestra regista commercialista

commessa giornalista elettricista cuoco operaio

1. Tecnico che ripara o installa impianti elettrici.

2. Chi per mestiere scrive articoli per i giornali, la radio, la televisione.

3. Donna che insegna nella scuola elementare o in una scuola d'infanzia.

4. Professionista che si occupa dei problemi commerciali e amministrativi.

5. Chi serve a tavola o provvede alle pulizie in alberghi, bar ecc.

6. Lavoratore dipendente che svolge un lavoro manuale e spesso faticoso.

7. Persona esperta nell'arte del cucinare.

8. Chi svolge lavoro d'ufficio, sbriga la corrispondenza e tiene gli appuntamenti

   per un suo superiore.

2 **Ascolto** Quaderno degli esercizi (p. 111)

3 **Situazione**

Sei *A*: hai fissato un colloquio con il direttore di un'azienda, a pagina 175 troverai il 'tuo' C.V. e qualche domanda da fare al direttore. Preparati per 2-3 minuti e... in bocca al lupo!

Sei *B*: sei il direttore dell'azienda e vuoi alcuni chiarimenti sul C.V. di *A*, ma anche altre informazioni. A pagina 177 troverai tutto il materiale di cui hai bisogno.

4 **Scriviamo**

Scrivete una lettera ad un amico italiano in cui gli parlate del vostro nuovo lavoro (come lo avete trovato, condizioni, ambiente lavorativo, aspetti positivi e non). In alternativa, potete parlare del lavoro che vorreste fare, spiegandone il perché. *(80-120 parole)*

 Test finale

L'economia italiana

Il miracolo economico

Dopo la seconda guerra mondiale e fino ai primi anni '50, l'Italia era un paese povero con un'economia basata sull'agricoltura e con poche materie prime*.

Grazie al cosiddetto "piano Marshall" (un progetto di finanziamento degli Stati Uniti per il sostegno e la ripresa economica dell'Europa messa in ginocchio* da tanti anni di guerra), gli italiani hanno realizzato numerose e importanti opere pubbliche (ad esempio, l'autostrada "del Sole" Milano-Napoli) creando così nuovi posti di lavoro, nuovi bisogni e consumi. Le principali aziende italiane hanno potuto rinnovare i loro impianti*, introducendo nuove tecnologie, e agli inizi degli anni '60, grazie anche al basso costo della manodopera*, erano già in grado di esportare* il 40% della loro produzione in Europa: auto, frigoriferi, lavatrici, televisori, ma anche prodotti alimentari e tessili*. Tutti i settori dell'economia, soprattutto quello metalmeccanico e petrolchimico, hanno avuto uno sviluppo senza precedenti.

Il "boom" economico, però, ha accentuato* il già grande squilibrio tra Nord e Sud: decine di migliaia di giovani sono dovuti emigrare verso i centri industriali del Nord. La *Cassa per il Mezzogiorno*, istituita* nel 1950 per favorire lo sviluppo del Sud, non ha potuto risolvere i problemi, purtroppo ancora oggi presenti.

Fondata nel 1899 a Torino da Giovanni Agnelli, la *FIAT* (Fabbrica Italiana Automobili Torino), è sempre stata protagonista dell'economia italiana. Pian piano è diventata un colosso economico, importantissimo a livello mondiale, al quale oggi appartengono, tra l'altro, la *Ferrari*, l'*Alfa Romeo*, la *Lancia*, la *Maserati* e la *Piaggio*.

È grazie ai modelli economici della FIAT, come la 500, che gli italiani cominciano negli anni '50 a riempire le autostrade nei weekend: segno di una società in trasformazione.

L'economia oggi

L'Italia è oggi uno dei paesi più sviluppati al mondo. Grazie alla loro creatività, gli italiani esportano con grande successo i loro prodotti in tutto il mondo. Il *Made in Italy* si è affermato in quasi ogni settore dell'economia: dai macchinari industriali e dalle automobili alle motociclette; dagli elettrodomestici* alle assicurazioni; dai mobili, famosi per il loro design, agli pneumatici*. Inoltre, tantissimi sono i prodotti alimentari italiani conosciuti nel mondo: caffè, dolci, pasta, formaggi, salumi, frutta, olio, vino ecc. E, infine, non dimentichiamo la moda: numerose sono le grandi aziende italiane, famosissime nel mondo, che producono capi di abbigliamento, calzature e accessori di alta qualità.

Il settore dei servizi* è molto sviluppato e occupa più del 60% della popolazione. Comprende, tra l'altro, le telecomunicazioni, uno degli elementi più attivi dell'economia italiana: società come la *Telecom Italia* e la *Fininvest* (quest'ultima di proprietà della famiglia Berlusconi) sono tra le più grandi d'Europa. Molto importante per l'economia italiana è, infine, il turismo: oltre 100 milioni sono gli stranieri che ogni anno visitano il *Belpaese*: non solo per ammirare i tesori d'arte e le bellezze naturali ma anche per visitare importanti fiere* commerciali.

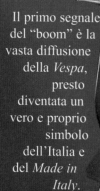

Il primo segnale del "boom" è la vasta diffusione della *Vespa*, presto diventata un vero e proprio simbolo dell'Italia e del *Made in Italy*.

1. Il miracolo economico italiano:

☐ a. ha avuto inizio subito dopo la guerra
☐ b. è stato possibile grazie agli europei
☐ c. si è verificato soprattutto al Nord
☐ d. è stato possibile grazie alle ricche risorse naturali

2. Il *Made in Italy* si
riferisce soprattutto:
- [ ] a. ai prodotti agricoli
- [ ] b. ai prodotti industriali
- [ ] c. alle telecomunicazioni
- [ ] d. al turismo

*Il marchio del portale
www.italia.it, realizzato per
promuovere l'immagine
dell'Italia nel mondo.*

3. La *FIAT*:
- [ ] a. è un simbolo dell'industria italiana
- [ ] b. ha pochi anni di vita
- [ ] c. è grande, ma solo a livello europeo
- [ ] d. ha prodotto sempre e solo macchine costose

L'Italia lascia il segno

Il *Made in Italy*

1. Conoscete alcune marche italiane? Quali?
   Scambiatevi informazioni.

2. Riferite alcune marche italiane che hanno una
   forte presenza nel vostro paese.

3. Quali sono, secondo voi, i segreti del successo
   mondiale del *Made in Italy*?

Glossario: <u>materie prime</u>: sostanze che si trovano in natura (petrolio, ferro, legno ecc); <u>mettere in ginocchio</u>: mettere in crisi, in difficoltà; <u>impianto</u>: insieme degli edifici e dei macchinari necessari per il funzionamento di un'industria; <u>manodopera</u>: il lavoro umano; <u>esportare</u>: vendere i propri prodotti all'estero, in altri Paesi; <u>tessile</u>: relativo alla produzione di stoffe, abiti e così via; <u>accentuare</u>: mettere in evidenza; <u>istituire</u>: fondare; <u>elettrodomestico</u>: apparecchio elettrico che si usa in casa (frigorifero, televisore ecc.); <u>pneumatico</u>: la gomma di un veicolo; <u>servizi</u>: il settore terziario (il commercio, i trasporti, le telecomunicazioni ecc.) di un Paese; <u>fiera</u>: esposizione, salone, mostra-mercato.

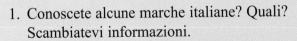

Attività online

Autovalutazione
Che cosa ricordate delle unità 1 e 2?

1. Abbinate le frasi.

1. Com'è il tuo inglese?
2. Katia ha trovato lavoro alla Fiat.
3. Scusami, tesoro!
4. È impossibile!

a. Non importa!
b. Ottimo!
c. Dai, non vedere tutto nero!
d. Davvero?!

2. Sapete...? Abbinate le due colonne.

1. chiedere il perché
2. esprimere sorpresa
3. augurare buona fortuna
4. chiudere una lettera

a. Come mai?
b. Cordiali saluti.
c. In bocca al lupo!
d. Caspita!

3. Completate o rispondete.

1. Chi va piano ....
2. Qual è il decennio del "boom economico"? ....
3. Ti + ne: ....
4. Tre pronomi relativi: ....
5. Quali di queste espressioni usereste in una lettera formale? *Caro Sergio, Gentile sig. Albertini, ArrivederLa, Salve, Spettabile Ditta.*

4. Abbinate le parole alle definizioni. Attenzione: ci sono due parole in più!

licenziare concorso colloquio di lavoro frequentare versare
assumere disoccupato prelevare promuovere risparmiare

1. incontro per capire se qualcuno è adatto a un posto di lavoro ....

2. colui che non ha un lavoro
....

3. mandare via dal posto di lavoro
....

4. dare un voto sufficiente ad un esame
....

5. mettere soldi da parte
....

6. prendere soldi da un conto bancario
....

7. dare un posto di lavoro a qualcuno
....

8. seguire regolarmente le lezioni
....

Verificate le vostre risposte a pagina 170. Siete soddisfatti?

La Mole Antonelliana, Torino

In viaggio per l'Italia

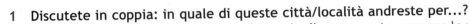

Per cominciare...

1 Discutete in coppia: in quale di queste città/località andreste per...?
a. frequentare l'università, **b.** fare il viaggio di nozze, **c.** trascorrere le vacanze estive, **d.** fare una vacanza studio o culturale, **e.** fare shopping, **f.** lavorare per qualche tempo

Firenze

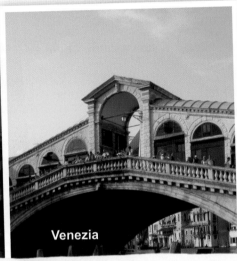

Venezia

Sardegna

Roma

Milano

2 Confrontate le vostre idee/preferenze con le altre coppie.

CD 1

3 Ascoltate una prima volta il dialogo: di quali città si parla?

CD 1

4 Ascoltate nuovamente il dialogo e indicate le informazioni presenti.

1. Andrea pensa di cambiare lavoro.
2. Lo stipendio che gli offrono è altissimo.
3. Secondo Pina, Roma è una città piena di vita.
4. Andrea preferisce Milano a Roma.
5. Per Andrea, un problema di Venezia sono gli spostamenti.
6. Andrea ha già una casa a Venezia.
7. Andrea non può portare a Firenze il suo cane.
8. Alla fine Pina gli consiglia di rimanere a Napoli.

In questa unità...

1. ...impariamo a fare paragoni, a dare giudizi o esprimere preferenze su cose e persone, a prenotare una camera in un albergo, a chiedere e dare informazioni turistiche, il lessico relativo ai servizi alberghieri;
2. ...conosciamo la comparazione, il grado dell'aggettivo, i verbi farcela e andarsene, gli aggettivi e i sostantivi geografici;
3. ...troviamo informazioni sulle città italiane più importanti.

A È più grande di Napoli!

CD 1

11

1 Le battute di Pina sono in ordine, ma quelle di Andrea no! Potete numerarle secondo un ordine logico? Poi riascoltate il dialogo per verificare le vostre risposte.

Pina: Ma cosa c'è da pensare ancora?! È un ottimo posto di lavoro!

Pina: Ma quali altre città ti hanno proposto?

Pina: Beh, io direi Roma. È più grande di Napoli, ricca di bellissimi monumenti...

Pina: E di Milano cosa ne pensi? È una grande città, moderna, europea, vivace.

Pina: ...Allora, se non puoi fare a meno del mare, forse a Venezia ti sentirai come a casa tua.

Pina: Già. Allora, non ti resta che Firenze: meno impersonale delle altre e poi, dai, è bellissima, una città d'arte.

Pina: Se la pensi così, allora rinuncia a questo lavoro. Sai come si dice: "Casa, dolce casa"...

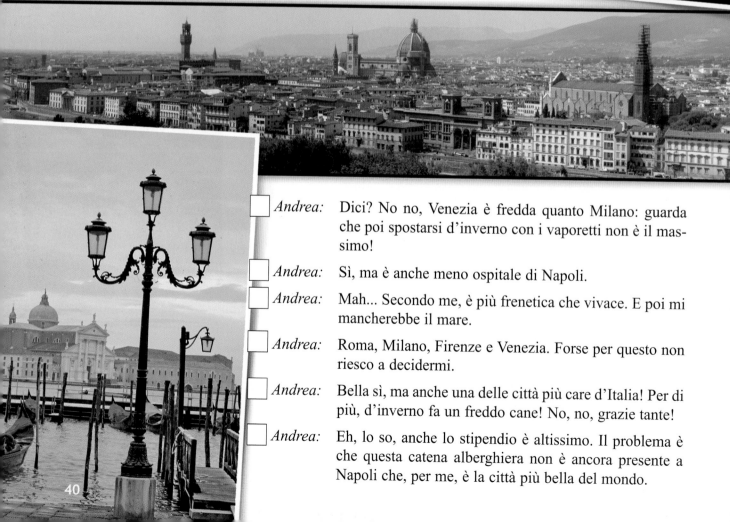

☐ *Andrea:* Dici? No no, Venezia è fredda quanto Milano: guarda che poi spostarsi d'inverno con i vaporetti non è il massimo!

☐ *Andrea:* Sì, ma è anche meno ospitale di Napoli.

☐ *Andrea:* Mah... Secondo me, è più frenetica che vivace. E poi mi mancherebbe il mare.

☐ *Andrea:* Roma, Milano, Firenze e Venezia. Forse per questo non riesco a decidermi.

☐ *Andrea:* Bella sì, ma anche una delle città più care d'Italia! Per di più, d'inverno fa un freddo cane! No, no, grazie tante!

☐ *Andrea:* Eh, lo so, anche lo stipendio è altissimo. Il problema è che questa catena alberghiera non è ancora presente a Napoli che, per me, è la città più bella del mondo.

2   **Scegliete l'affermazione giusta.**

Cosa intende Andrea quando dice:

"fa un freddo cane" ☐ a. fa molto freddo, ☐ b. fa un freddo sopportabile

"non è il massimo" ☐ a. non è la cosa più importante, ☐ b. non è la cosa migliore

Cosa intende Pina quando dice:

"se non puoi fare a meno del mare" ☐ a. se non puoi vivere senza il mare, ☐ b. se non sopporti il mare

"ti sentirai come a casa tua" ☐ a. sarà facile trovare una casa, ☐ b. sarà facile abituarsi

"Già" ☐ a. comprende il punto di vista di Andrea, ☐ b. ha già sentito ciò che dice Andrea

"non ti resta che..." ☐ a. l'unica alternativa è, ☐ b. manca ancora poco tempo

3   **Il giorno dopo Pina discute con Carla. Completate il loro dialogo con:** *più, meno, più, quanto, di.*

Carla:	Alla fine Andrea ha accettato quella proposta di lavoro o no?
Pina:	È ancora indeciso, perché non ce la fa a vivere lontano da Napoli.
Carla:	Non gli piacerebbe andare nemmeno a Roma?
Pina:	No, perché crede che sia (1)................... ospitale di Napoli.
Carla:	Forse è vero, ma è certo più viva (2)................... tante altre città. Parlo di Milano, Venezia, per esempio...
Pina:	Queste città Andrea nemmeno le prende in considerazione! Dice che Venezia la trova tanto fredda (3)................... Milano.
Carla:	Può darsi, ma sicuramente è (4)................... tranquilla. Poi? Può scegliere tra altre città?
Pina:	Ci sarebbe Firenze, ma per lui è tra le città (5)................... care d'Italia, il che forse è vero.
Carla:	Secondo me sono tutte scuse perché in fondo non se ne vuole andare da Napoli!
Pina:	Ma così rischia di perdere la migliore occasione della sua vita!

4   **Abbiamo appena letto** "non *ce la fa* a vivere lontano da Napoli" **e** "non *se ne* vuole *andare* da Napoli". **Capite il significato di questi verbi? In Appendice, a pagina 171, potete vedere come si coniugano.**

➦ 1

5   **Immaginate di essere Andrea: scrivete un'e-mail ad un amico per chiedere consigli sulla decisione da prendere.** *(50-60 parole)*

6 Quali parole usiamo per fare un confronto? Osservate la conversazione al punto 3 e completate la tabella che segue.

Comparazione tra due nomi o pronomi	
Laura è **più** gentile .... Saverio. Lui studia **più di** te.	(*comparativo di maggioranza*)
Parma è .... grande **di** Roma. Io ho mangiato **meno di** te.	(*comparativo di minoranza*)
Noi siamo (tanto) bravi **quanto** loro. Ferrara è (così) piccola **come** Perugia.	(*comparativo di uguaglianza*)

7 Osservando la scheda precedente ed il modello, costruite delle frasi orali.

Tina / magra / Daria.

Tina è più magra di Daria. / Tina è meno magra di Daria. / Tina è magra quanto Daria.

1. Le ragazze / leggono / i ragazzi.
2. Questa casa / costa / la nostra.
3. I documentari / interessanti / i telegiornali.
4. Le gonne / comode / i pantaloni.
5. La macchina di Elisa / veloce / la mia.
6. Beatrice / carina / sua sorella.

▶ 2 - 5

8 Lavorate in coppia: ognuno, guardando la tabella, dovrà fare un'osservazione (ad es. "La Sicilia è più grande della Sardegna", o "Milano ha meno abitanti di Roma", oppure "La Toscana è grande quasi quanto l'Emilia Romagna") mentre l'altro controlla l'esattezza delle informazioni.

regione	superficie	abitanti
Lombardia	23.857 kmq	8.900.000
Veneto	18.364 kmq	4.370.000
Emilia Romagna	22.124 kmq	3.940.000
Toscana	22.992 kmq	3.600.000
Lazio	17.203 kmq	5.100.000
Campania	13.595 kmq	5.700.000
Sicilia	25.709 kmq	5.100.000
Sardegna	24.090 kmq	1.640.000

capoluogo	abitanti
Milano	1.520.000
Venezia	330.000
Bologna	440.000
Firenze	440.000
Roma	2.900.000
Napoli	1.216.000
Palermo	720.000
Cagliari	223.500

Quali altre regioni e città italiane conoscete?

B   Più italiana che torinese!

1   In ogni Paese, tra le varie città o zone esistono differenze culturali, di mentalità ecc. Nel vostro che differenze ci sono? Parlatene in coppia.

2   Leggete il testo e indicate le affermazioni corrette.

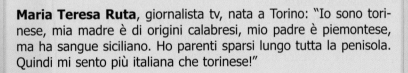

Le differenze che ci uniscono

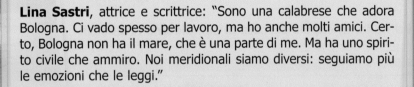

Abbiamo chiesto ad alcuni noti personaggi la loro opinione sull' "altra metà del paese": a quelli del Nord cosa pensano del Sud e viceversa. Ecco cosa ci hanno risposto:

Massimo Cacciari, ex sindaco di Venezia: "Amo tutto il Sud. Sono pazzo di Agrigento, Castel del Monte, la bellissima costiera Amalfitana. D'altra parte adoro la mozzarella di Caserta. In un mio menù ideale metterei più piatti meridionali che settentrionali."

Maria Teresa Ruta, giornalista tv, nata a Torino: "Io sono torinese, mia madre è di origini calabresi, mio padre è piemontese, ma ha sangue siciliano. Ho parenti sparsi lungo tutta la penisola. Quindi mi sento più italiana che torinese!"

Lina Sastri, attrice e scrittrice: "Sono una calabrese che adora Bologna. Ci vado spesso per lavoro, ma ho anche molti amici. Certo, Bologna non ha il mare, che è una parte di me. Ma ha uno spirito civile che ammiro. Noi meridionali siamo diversi: seguiamo più le emozioni che le leggi."

Luciano De Crescenzo, scrittore, napoletano: "A Milano mi affascinano le auto ferme. In questa città più che guidare si aspetta ai semafori. Quando ci sono andato a vivere, dopo un anno non conoscevo nessuno dei vicini. La mia *privacy* era garantita: non come a Napoli che chiunque mi entrava in casa a ogni ora. Insomma, amo Nord e Sud perché sono così: terribilmente diversi."

tratto da Donna moderna

1. Massimo Cacciari preferisce la cucina
   a. del Nord
   b. del Sud
   c. veneziana

2. Maria Teresa Ruta
   a. non si sente torinese
   b. ha parenti in tutta Italia
   c. ha parenti all'estero

3. Lina Sastri
   a. va spesso in Calabria
   b. ha una casa sul mare
   c. si lascia guidare dalle emozioni

4. A Milano Luciano De Crescenzo
   a. non conosceva nessuno
   b. non usava mai la macchina
   c. poteva godere della sua privacy

3   Sottolineate nel testo la comparazione usata da ciascun personaggio intervistato.

4 Osservate la tabella. Che differenze notate rispetto alla comparazione tra nomi e pronomi?

Comparazione tra due aggettivi, verbi o quantità

- Milano è una città vivace. ⇨ - Secondo me, è **più** <u>frenetica</u> **che** <u>vivace</u>.
- Beppe è molto intelligente. ⇨ - Io, invece, credo che sia **più** <u>furbo</u> **che** <u>intelligente</u>.

- Ti piace <u>guardare</u> la tv o <u>leggere</u>? ⇨ - Mi piace **più** <u>leggere</u> **che** <u>guardare</u> la tv.
- Mi piace il modo in cui insegna. ⇨ - Ma lei **più che** <u>insegnare</u>, <u>recita</u>.

- A casa nostra mangiamo **più** <u>carne</u> **che** <u>verdura</u>.
- Per fortuna leggo **più** <u>libri</u> **che** <u>riviste</u>.

5 Costruite delle frasi secondo gli esempi di sopra.

1. Questo chef / <u>famoso</u> / <u>bravo</u>.
2. Tiziana <u>simpatica</u> / <u>attraente</u>.
3. Divertente / <u>imparare</u> l'italiano / (<u>imparare</u>) il tedesco.
4. Alla festa di Carlo c'erano / <u>uomini</u> / <u>donne</u>.
5. Preferisco / <u>stare</u> a casa / <u>uscire</u> con Mario.

➡ 6 - 11

6 Abitanti d'Italia. In coppia cercate di completare i riquadri.

Torino
torinese

Piemonte
....

Firenze
....

Roma
....

Napoli
....

....
sardo

....
palermitano

Sicilia

....
milanese

....
lombardo

Venezia

....
emiliano

Bologna

Toscana

....
molisano

....
calabrese

C   Vorrei prenotare una camera.

1   In base a quali criteri scegliereste un albergo? Come dovrebbe essere? Parlatene.

CD 1
12

2   Ascoltate questa pubblicità e segnate con una X le affermazioni giuste.

1. L'albergo è   ☐ l'Hilton   ☐ l'Holiday Inn   ☐ il Grand Hotel
2. L'albergo è   ☐ di colore verde   ☐ immerso nel verde   ☐ immenso e verde
3. L'albergo ha   ☐ un ottimo ristorante ☐ un ristorante tipico   ☐ tre ristoranti
4. L'albergo ha   ☐ un grande campeggio   ☐ un vantaggio   ☐ un grande parcheggio
5. I due ragazzi   ☐ sono sposati   ☐ sono fidanzati   ☐ sono amici

CD 1
13

3   Adesso ascoltate un dialogo e sottolineate i servizi menzionati.

Piccoli animali ammessi   TV satellitare   Accesso internet

Parcheggio   Linea telefonica diretta   Mini bar (frigobar)

Piscina   Palestra   Aria condizionata   Ristorante

CD 1
13

4   Ascoltate di nuovo e segnate le affermazioni presenti nella conversazione.

1. L'albergo è vicino al Colosseo.
2. Il signor Rapetti vuole una camera matrimoniale.
3. L'albergo ha camere con vista sul parco.
4. La camera 422 è la migliore dell'hotel.
5. Per gli animali è previsto uno sconto.
6. Il signor Rapetti chiede indicazioni su come arrivare.

5   In coppia, cercate di completare con le espressioni che avete sentito. Alla fine riascoltate il dialogo per verificare le vostre risposte e fate il role-play.

Prenotare una camera	Chiedere informazioni
....	....
....	....

Role-play

A chiama un albergo per prenotare una camera: chiede informazioni sui prezzi, i servizi e altre caratteristiche dell'albergo. *B* è l'impiegato/a dell'albergo: dà tutte le informazioni richieste cercando di aiutare quanto possibile *A*.

6 Leggete questi due testi: qual è l'albergo più grande? E il più caro? Il più tranquillo? Quello più vicino alla stazione ferroviaria?

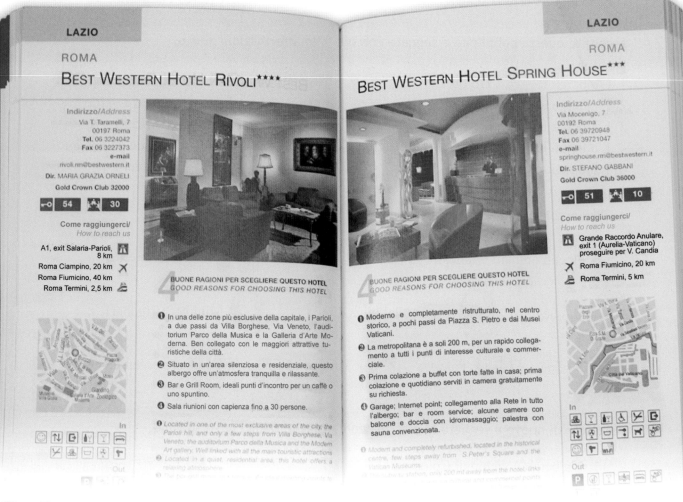

7 Rispondete alle domande scambiandovi opinioni con i vostri compagni di classe.

1. Quale dei due alberghi scegliereste e perché? Scambiatevi opinioni.
2. Che somiglianze o differenze notate? Parlatene.
3. Vi piace pernottare in albergo? Motivate le vostre risposte.

D   Il più bello!

1 Osservate e completate la tabella che segue.

Superlativo relativo di aggettivi

- È grande l'albergo?   - Sì, è .... albergo **più grande** della zona.
- L'Italia ha molte belle città. - Sì, ma Roma è .... **più bella**!
- È difficile questo esercizio? - No, forse è .... esercizio **meno difficile** dell'unità.
- È antico quel monumento? - Sì, è .... monumento **più antico** della città.

2   **Costruite delle frasi secondo l'esempio.**

> albergo / caro / città.
> *Questo è l'albergo più caro della città.*

1. Alfredo / studente / bravo / classe
2. canzone / bella / Luciano Pavarotti
3. Venezia / città / tranquilla / Italia
4. Gino / impiegato / esperto / azienda

 12 e 13

3   **Osservate i fumetti e scegliete la parola giusta per completarli.**

*Per me Roma non è semplicemente bella
è buonissima/bellissima!*

*Sì, sono stato male ma ora sto bene,
anzi moltissimo/benissimo!*

4   **Le parole in blu dell'attività precedente rappresentano il *superlativo assoluto* di un aggettivo e di un avverbio. Lo usiamo per esprimere un giudizio senza fare paragoni con qualcos'altro. In coppia rispondete alle seguenti domande usando il superlativo assoluto.**

1. Ti devi alzare presto domattina?
2. È pesante la tua valigia?
3. Trovi interessante questo libro?
4. Andate spesso al cinema?

14 - 16

5 Completate il testo con le preposizioni, semplici e articolate.

FIRENZE

Piazza della Signoria è considerata una "bellezza d'Italia", tra l'altro per la grandezza di *Palazzo Vecchio*, la monumentale *Fontana del Nettuno*, la copia ....**(1)** *David* di Michelangelo, una ....**(2)** sue opere migliori, il *Perseo*, capolavoro di Benvenuto Cellini e, infine, il *Ponte Vecchio*. È come visitare una raccolta ....**(3)** straordinarie opere d'arte. I cittadini passano accanto ....**(4)** queste meraviglie e quasi non le notano: sono abituati ....**(5)** cose belle. Gli stranieri restano incantati. Diceva Indro Montanelli, toscano e uno ....**(6)** maggiori giornalisti italiani: "Dei fiorentini bisogna salvare almeno un carattere, quello dell'amore che hanno ....**(7)** loro città. Ma io amavo la Firenze vecchia, la città medievale ....**(8)** stradine strette e le botteghe degli artigiani aperte sulla via. Che non cerco ....**(9)** ritrovare perché ormai non c'è più." Sono parole piene ....**(10)** malinconia, ma le cose sono cambiate ovunque e certe atmosfere sono sempre più difficili ....**(11)** scoprire, specialmente in un ambiente storico come questo: si cammina, si vive come tra le pagine di un manuale di architettura. Solo che ....**(12)** tetti dei palazzi ci sono ormai le antenne della televisione.

adattato da I come italiani di Enzo Biagi

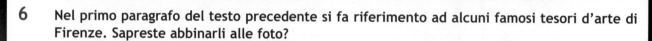

6 Nel primo paragrafo del testo precedente si fa riferimento ad alcuni famosi tesori d'arte di Firenze. Sapreste abbinarli alle foto?

7   Sempre nel testo su Firenze abbiamo letto "una delle sue opere *migliori*" e "uno dei *maggiori* giornalisti italiani". **Completate le frasi.**

Forme particolari di comparazione

Questo dolce è **più buono** di quello.   ⇨ È sicuramente .... di quello.

La tua idea è **più cattiva** della mia.   ⇨ È **peggiore** della mia.

Questo è il suo problema **più grande**.   ⇨ È il suo problema ....

La mia sorella **più piccola** si chiama Ada.   ⇨ Ada è la mia sorella **minore**.

ma anche:

I guadagni sono stati **più alti** del previsto!   ⇨ Sono stati **superiori al** previsto.

I risultati sono **più bassi** delle aspettative.   ⇨ Sono **inferiori alle** aspettative.

Forme particolari di superlativo (ad es. *ottimo*) in Appendice a pagina 172.

8   **Osservando la tabella precedente completate le frasi.**

1. Questo programma non è tanto interessante, ma è sicuramente .... di quello che guardavi prima.

2. Oggi la qualità della vita è .... a quella di 50 anni fa.

3. La situazione qua è .... di quella che mi aspettavo: non vedo l'ora di andarmene.

4. Quest'anno il numero di incidenti è stato .... a quello dell'anno scorso grazie alle misure speciali prese dalla polizia stradale.

5. Le mie responsabilità sono .... delle tue poiché io sono più grande.

6. Nino ha due anni meno di me: è il mio fratello ....

17 e 18

E   Vocabolario e abilità

1   **Descrivete e commentate queste due foto.**

2 Di seguito ci sono parole relative agli alberghi, ai viaggi in genere e ad entrambe le categorie. Lavorando in coppia inseritele nei riquadri corrispondenti.

soggiorno pernottamento ricevimento biglietto prenotazione volo arrivo
partenza stazione porto aeroporto bagagli sistemazione cameriere
passeggero camera passaporto guida meta agenzia di viaggi alloggio

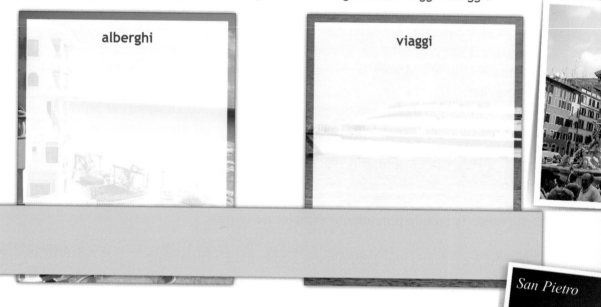

alberghi	viaggi

CD 1

3 **Ascolto** Quaderno degli esercizi (p. 125)

Role-play

4 **Situazioni**

1. Descrivi la tua città ad un amico italiano che non ci è mai stato: cosa ti piace di più e cosa di meno, i luoghi che dovrebbe vedere o in cui sarebbe bello trascorrere qualche serata con gli amici. Un tuo compagno, nella parte dell'amico italiano, ti fa delle domande per saperne di più.

2. **Sei A** e vai in un'agenzia di viaggi per chiedere informazioni su un viaggio in Italia: a pagina 175 troverai alcune delle domande che puoi formulare. **Sei B** e lavori in un'agenzia di viaggi. A pagina 178 troverai un'offerta che potrebbe essere... quasi perfetta per *A* e possibili risposte alle sue domande.

5 **Scriviamo**

1. Un tuo amico italiano pensa di trascorrere le vacanze nel tuo Paese, ma in un periodo in cui tu non ci sarai. Chiede il tuo consiglio su cosa fare, dove andare, quali città e monumenti visitare. La tua risposta deve essere invitante come una brochure pubblicitaria. *(100-120 parole)*

2. Dopo un soggiorno deludente in un albergo di Firenze scrivi una lettera al direttore in cui esponi i problemi che hai affrontato ed esprimi un giudizio negativo sull'ospitalità, la professionalità del personale e la qualità dei servizi in genere. *(100-120 parole)*

 Test finale

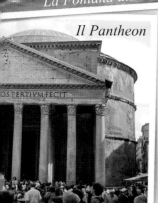

Il Pantheon

La Fontana di Trevi

Il Vittoriano

Città italiane

Roma

La città eterna*, e centro del più grande impero* dell'antichità, è capitale d'Italia dal 1871. Si estende sulle due rive del fiume Tevere e oggi conta circa tre milioni di abitanti. Sono sempre tantissimi i turisti che la visitano ogni anno per ammirarne gli splendidi tesori d'arte: forse, è proprio vero che "tutte le strade portano a Roma" come si dice da più di duemila anni.

Oggi è una metropoli moderna e, soprattutto nelle ore di punta, è preferibile spostarsi con la metropolitana, che permette di raggiungere facilmente quasi tutte le zone della città. Inoltre, agli autobus è permesso l'accesso* alle zone chiuse al traffico ordinario.

Tra gli innumerevoli monumenti sparsi per la città, particolare riferimento meritano:

● il **Foro Romano** e il **Palatino**, centri religiosi, politici e commerciali della Roma antica. Vi si trovano le rovine di numerosi templi*, palazzi degli imperatori romani e tanti altri edifici dell'epoca antica;

● il **Colosseo**, o Anfiteatro Flavio (80 d.C.), era il simbolo della città antica e tanto grande da ospitare, durante gli spettacoli che vi si organizzavano, ben 50.000 spettatori;

Il Colosseo

● **Piazza Navona**, isola pedonale*, è uno dei punti di ritrovo più piacevoli e animati* di Roma. Al centro si trova la *Fontana dei quattro Fiumi*, capolavoro del Bernini;

● **Piazza di Spagna**, frequentatissima da turisti e giovani, deve il suo nome al Palazzo di Spagna, antichissima sede dell'ambasciata spagnola. L'enorme *scalinata* porta alla chiesa di *Trinità dei Monti*;

● la **Fontana di Trevi**, grandioso e bellissimo monumento di Nicola Salvi. I turisti per antica tradizione vi gettano una moneta, sperando così di fare ritorno un giorno a Roma;

● la **Basilica di San Pietro** è la più grande chiesa del mondo. La sua enorme piazza è circondata* dal maestoso* *Portico* del Bernini. Al suo interno possiamo ammirare la *Pietà* di Michelangelo. Da visitare i *Musei Vaticani* con la *Cappella Sistina* e le *Stanze di Raffaello*. La basilica è situata al centro della Città del Vaticano, il più piccolo stato indipendente del mondo.

Altri monumenti importanti di Roma sono il *Campidoglio*, il *Vittoriano*, il *Pantheon*, *Castel Sant'Angelo*, le *catacombe**, le *Terme** *di Caracalla* e tanti altri.

Glossario: eterno: che ha avuto inizio, ma non avrà una fine; impero: insieme di Paesi governati da un re che ha il titolo di imperatore; accesso: entrata; tempio: edificio in cui si svolgono le pratiche religiose; pedonale: spazio riservato a coloro che camminano a piedi; animato: pieno di vita; circondato: limitato tutt'intorno; maestoso: tanto grande da impressionare; catacomba: galleria sotterranea usata dai primi cristiani come cimitero e come luogo per incontrarsi e pregare; terme: nell'antica Roma, edifici pubblici con piscine, per bagni caldi o freddi, palestre e così via.

1. Roma:
- [ ] a. è la capitale d'Italia da duemila anni
- [ ] b. è piena di tesori d'arte
- [ ] c. non dispone del metrò
- [ ] d. è una città tranquilla

2. Un luogo in cui gli stessi romani si danno appuntamento è:
- [ ] a. il Colosseo
- [ ] b. Piazza Navona
- [ ] c. il Foro Romano
- [ ] d. Piazza San Pietro

3. Roma è:
- [ ] a. il centro dell'economia italiana
- [ ] b. il più piccolo stato indipendente del mondo
- [ ] c. una città "museo"
- [ ] d. circondata da fiumi

Piazza di Spagna e Trinità dei Monti

Milano

È la città italiana più europea. Ricca e moderna, è il capoluogo finanziario d'Italia. Infatti, oltre alla sua fertile* economia (l'industria, il commercio, la moda), è sede di grandi banche e aziende italiane ed estere, ospita la Borsa Valori e la sua Fiera è conosciuta a livello mondiale.

La città ha un efficiente servizio di trasporto pubblico: oltre agli autobus e al tram, i milanesi hanno a loro disposizione anche la metropolitana. Nonostante ciò il traffico è inevitabile e molti milanesi preferiscono trasferirsi in centri urbani intorno a Milano.

Il monumento più rappresentativo di Milano è senz'altro il *Duomo*, di stile gotico*, una delle più grandi e belle cattedrali del mondo. La sua *Piazza* e la vicina *Galleria Vittorio Emanuele II*, sono i punti d'incontro dei milanesi. Altri monumenti importanti sono il *Teatro alla Scala*, uno dei più celebri teatri lirici del mondo, e il *Castello Sforzesco*, un tempo residenza* dei duchi di Milano. Infine chi visita Milano ha l'occasione di ammirare dal vivo il *Cenacolo* (o l'*Ultima Cena*) di Leonardo da Vinci che si trova nel convento della *Chiesa S. Maria delle Grazie*.

Un Naviglio

Bologna

Sede della prima università del mondo (dal 1088!), è la capitale gastronomica* d'Italia: rinomata per la sua grande varietà di salumi e la buona cucina. Ha mantenuto, almeno al centro, la sua architettura medievale*, anche se delle oltre duecento torri ne sono rimaste pochissime, di cui le più famose sono quelle pendenti della *Garisenda* e degli *Asinelli* (100 m, 486 scalini). La *Chiesa di San Petronio*, *Piazza Maggiore* e *Piazza del Nettuno* completano il centro storico. Sotto i portici*, bolognesi, turisti e numerosi studenti vanno a spasso per gli eleganti negozi e i tanti caffè di questa tranquilla e, al tempo stesso, vivace città.

San Petronio

Glossario: fertile: che produce, ricco; gotico: stile artistico diffuso in Europa tra il XII e il XIV secolo; residenza: luogo, edificio in cui si abita; gastronomico: che riguarda l'arte di cucinare; medievale: che si riferisce al Medioevo, periodo compreso tra il 476 e il 1492; portico: colonnato.

A quale città corrisponde ogni affermazione?

1. Ci vivono molti studenti.
2. È famosa per la sua cucina.
3. Uno dei suoi problemi è il traffico.
4. Ha un carattere internazionale.
5. È moderna, nonostante i tanti palazzi antichi.
6. Vanno in scena molti spettacoli di Opera.

Milano	Bologna

Venezia

La "Serenissima" è una città costruita sull'acqua, cioè su circa 120 piccole isole divise da 160 canali e collegate tra loro da 350 ponti! Tra questi i più suggestivi* sono il famoso *Ponte dei Sospiri*, chiamato così perché i condannati (tra cui anche Giacomo Casanova) ci passavano sopra sospirando, e il *Ponte di Rialto* che, con le sue splendide botteghe, attraversa il *Canal Grande*.

Milioni di turisti ogni anno restano incantati* da questa città e dai suoi tesori d'arte che rischiano di finire sott'acqua, poiché Venezia "affonda" lentamente (mezzo centimetro all'anno). In *Piazza San Marco*, cuore del meraviglioso Carnevale, sorge la *Basilica di San Marco* (1073), il più alto esempio di arte veneto-bizantina anche se in seguito ulteriori interventi hanno lasciato tracce di altri stili (romanico, gotico, rinascimentale). Proprio accanto si può ammirare il Palazzo Ducale, simbolo della gloria* veneziana e residenza del Doge, cioè il capo dell'antica Repubblica marinara di Venezia.

Napoli

"Vedi Napoli e poi muori" si diceva una volta. Fondata dai greci nel V secolo a. C. con il nome *Neapolis* (città nuova), è la più importante città dell'Italia del Sud. Situata su un grande golfo, ai piedi del vulcano Vesuvio, è stata per sei secoli la capitale del Regno* di Napoli; di questo periodo glorioso ci rimangono testimonianze artistiche molto importanti. *Castel Nuovo* o *Maschio Angioino* (1282) e il *Teatro San Carlo* sono tra i monumenti più celebri. Napoli è una città affascinante, viva e divertente, dove si mangia bene; la gente, aperta e cordiale, parla il dialetto italiano certamente più musicale. D'altra parte, però, questa città affronta gravi problemi, legati alla disoccupazione e alla criminalità.

Il Golfo di Napoli

Il Canal Grande

A quale città corrisponde ogni affermazione?

1. Le sue origini sono molto antiche.
2. Non circolano quasi per niente auto.
3. Ha avuto a lungo un re.
4. In futuro forse non sarà più la stessa.
5. Più di duemila anni fa era abitata dai greci.
6. Ha molti problemi da risolvere.

Venezia	Napoli

Glossario: <u>suggestivo</u>: emozionante, affascinante; <u>incantato</u>: stupiti, meravigliati, affascinati; <u>gloria</u>: fama, successo, orgoglio; <u>regno</u>: stato, territorio che è sotto l'autorità, il governo di un re.

Attività online

Autovalutazione
Che cosa ricordate delle unità 2 e 3?

1. Sapete...? Abbinate le due colonne.

1. cominciare una lettera
2. fare paragoni
3. esprimere un giudizio
4. chiedere il perché
5. fare una prenotazione

a. Per quale motivo l'hai fatto?
b. Vorrei una camera doppia.
c. È più intelligente di me.
d. Egregio Dottor Masi...
e. Ottima idea!

2. Abbinate le frasi. Nella colonna a destra c'è una frase in più.

1. Che tempo fa da voi?
2. Ami molto lo sport, no?
3. Secondo te, è vero?
4. Sai, io ho molti hobby!
5. Marta è molto ospitale.

a. Tipo?
b. Un freddo cane!
c. Sì, ti fa sentire come a casa tua.
d. No, sono tutte scuse!
e. Non posso farne a meno!
f. Per me non è il massimo.

3. Completate o rispondete.

1. Roma ha circa .... di abitanti mentre Milano circa ....
2. Il *Ponte di Rialto* di trova a .... e *Piazza della Signoria* a ....
3. Camera a due letti: ....
4. Il superlativo assoluto di *grande* e di *male*: ....
5. Quali parole usiamo per confrontare due aggettivi? ....

4. Completate le frasi con le parole mancanti.

1. La maggior parte dei t........................ non possono permettersi un a........................ a quattro stelle.
2. Con questa carta di c........................ puoi avere uno s........................ del 20% in molti negozi.
3. Abbiamo perso il v........................ per Londra perché avevamo dimenticato i b........................ a casa!
4. Per fortuna la mia a........................ di viaggi mi ha consigliato di p........................ molto prima.
5. Dopo quel c........................ di lavoro ha trovato un buon p........................ in banca.

Verificate le vostre risposte a pagina 170.
Siete soddisfatti?

Castello Miramare, **Trieste**

Per cominciare...

1 Facciamo un veloce test di storia? Abbinate le illustrazioni al periodo storico.

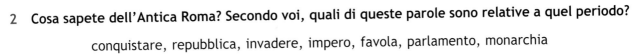

a. 1920   **b.** 1860   **c.** Rinascimento (1500)   **d.** Medioevo   **e.** Roma Antica

2 Cosa sapete dell'Antica Roma? Secondo voi, quali di queste parole sono relative a quel periodo?

conquistare, repubblica, invadere, impero, favola, parlamento, monarchia

CD 1
15

3 Ascoltate una prima volta il dialogo e verificate le vostre ipotesi.

CD 1
15

4 Ascoltate di nuovo e indicate le affermazioni corrette.

1. Dopo la fondazione di Roma
   a. Romolo uccise Remo
   b. Remo uccise Romolo
   c. Romolo diventò imperatore
   d. Romolo diventò dittatore

2. All'inizio Roma era
   a. un impero
   b. una monarchia
   c. una penisola
   d. un villaggio

3. Giulio Cesare è stato
   a. il primo dittatore di Roma
   b. il primo imperatore di Roma
   c. un generale di Roma
   d. la persona più odiata di Roma

4. Fu un bravo imperatore
   a. Augusto
   b. Caligola
   c. Nerone
   d. Marco Aurelio

In questa unità...

1. ...impariamo a raccontare eventi storici o lontani nel passato, a precisare quanto afferma-to, a contraddire qualcuno;
2. ...conosciamo il passato remoto, il trapassato remoto e gli avverbi di modo;
3. ...troviamo alcune informazioni sulla storia d'Italia, dall'antichità ai nostri giorni.

A Chi fondò Roma?

1 Ascoltate e leggete il dialogo per verificare le vostre risposte all'attività precedente.

Carletto: Papà, la maestra ci ha parlato un po' dell'antica Roma, ma non ho capito bene chi la fondò.

papà: Dai che lo sai già! La fondarono Romolo e Remo, ma poi Romolo litigò con suo fratello e lo uccise.

Carletto: Cioè Romolo fu anche il primo presidente di Roma?

papà: Facciamo un po' di ordine! Allora, all'inizio Roma era solo un villaggio, poi con il tempo i Romani sconfissero gli altri popoli della penisola e diventarono una potenza militare.

Carletto: Ho capito. E chi fu il primo imperatore di Roma, Cesare?

papà: No, per parlare di Cesare e dell'Impero Romano bisognerà aspettare ancora molti secoli. Prima ci furono i famosi sette re, poi da monarchia Roma divenne una Repubblica e conquistò quasi tutta l'Europa e parte dell'Asia e dell'Africa. Giulio Cesare, che era uno dei più grandi generali romani, alla fine diventò anche dittatore.

Carletto: Un dittatore! Allora era proprio cattivo!

papà: Non proprio! Anzi il popolo lo amava molto ma, forse proprio per questo, alcuni senatori lo uccisero.

Carletto: E dopo chi diventò imperatore?

papà: Il primo fu Augusto, uno dei migliori imperatori romani. Però non tutti gli imperatori furono bravi quanto lui; ad esempio, il pazzo Caligola nominò senatore il suo cavallo e Nerone accusò i cristiani dell'incendio che bruciò Roma. Tuttavia, non mancarono imperatori saggi, come Marco Aurelio e altri...

Carletto: Adesso credo di aver capito tutto. Papà, un'ultima domanda: Asterix quando diventò imperatore?!!

2   Leggete il dialogo e, in coppia, mettete in ordine cronologico gli avvenimenti.

   Roma diventa una potenza militare.

   Cesare diventa dittatore.

   Augusto diventa imperatore.

   Romolo uccide suo fratello Remo.

   Roma conquista l'Europa e altri territori.

   Alcuni senatori uccidono Cesare.

3   Il giorno dopo Carletto racconta alla sua maestra tutto ciò che ha imparato, ma confonde un po' (anzi, completamente) nomi e fatti. Completate il dialogo con i verbi dati.

Carletto:	Signora maestra, io so tutto dell'antica Roma! Me l'ha spiegato mio padre!
maestra:	Bravo, Carlo! Dai, raccontaci che cosa ricordi.
Carletto:	Allora, Romolo tradì Cesare, lo .... e fondò l'Impero romano. Poi i Romani .... le guerre contro altri popoli, conquistarono l'Asia e l'America e .... un giornale, "la Repubblica".
maestra:	Carletto, ma cosa dici? Romolo che fonda l'impero, l'America, un giornale! Stai facendo un po' di confusione, mi pare!
Carletto:	Cioè non è vero che i senatori .... Romolo per invidia?
maestra:	Di nuovo lo confondi con Cesare. Di lui ricordi qualcos'altro?
Carletto:	Certo: Cesare .... i cristiani di aver incendiato Roma e nominò senatore Augusto.
maestra:	Ragazzi, non date retta a quello che dice Carlo! Adesso vi spiego io come andarono veramente le cose.
Carletto:	Ma perché, non è vero che Augusto .... senatore e il peggior nemico di Asterix?
maestra:	No, Asterix fu un nemico di Cesare! Ma che dico?!!

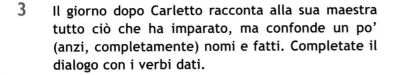

cominciarono   fu   fondarono   accusò   uccise   uccisero

4   Scrivete un breve riassunto *(40-50 parole)* del dialogo introduttivo.

....

....

....

....

....

5 Nel dialogo introduttivo abbiamo visto "Roma *conquistò* quasi tutta l'Europa" e "i Romani ... *diventarono* una potenza militare". **Provate a completare la tabella che segue.**

Il passato remoto (verbi regolari)		
-are	**-ere**	**-ire**
and<u>ai</u>	cred<u>ei</u> (-<u>etti</u>)	cap<u>ii</u>
and<u>asti</u>	cred<u>esti</u>	cap<u>isti</u>
and......	cred...... (-<u>ette</u>)	cap<u>ì</u>
and<u>ammo</u>	cred<u>emmo</u>	cap<u>immo</u>
and<u>aste</u>	cred<u>este</u>	cap<u>iste</u>
and............	cred<u>erono</u> (-<u>ettero</u>)	cap............

Secondo voi, quando si usa il passato remoto? Verificate le vostre ipotesi a pagina 172.

6 Costruite delle frasi mettendo il verbo tra parentesi al passato remoto.

1. La Repubblica Romana *(durare)* ben cinque secoli.
2. Loro *(insistere)* tanto che alla fine io *(accettare)*.
3. Dieci anni fa *(partire)* dal suo paese per andare a vivere a Milano.
4. In quel momento voi non mi *(prendere)* sul serio.
5. Quando noi *(arrivare)* in città, in giro non c'era nessuno.
6. Nel 1492 il genovese Cristoforo Colombo *(scoprire)* l'America.

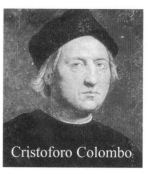

Cristoforo Colombo

 1 - 4

B In che senso?

CD 1

16

1 Ascoltate le frasi e completate. Secondo voi, quando possiamo usare queste espressioni?

a. Non mi va di venire al cinema con te; .... che purtroppo abbiamo gusti diversi.
b. Stefano è un po' indiscreto, ... a volte fa delle domande troppo personali.
c. Allora, ...: ho reagito così perché mi sono sentito offeso.
d. È un tipo strano, ... a volte non gli puoi dire niente che si arrabbia subito.
e. Vittorio ha realizzato il suo sogno, ... una *Ferrari*, anche se di seconda mano.

2 In coppia formate due frasi usando le espressioni appena incontrate.

....

....

 5

3 Completate il fumetto con le battute date. Attenzione: ce ne sono due in più!

1. Non è vero niente... nel senso che posso spiegare tutto!
2. Che ne dici di una bella partita a scacchi?
3. Ma non finisce qui tra noi, Gallo! Ci incontreremo di nuovo!
4. Eccoli! Sono tornati!
5. Qualcuno può spiegarmi cosa è successo?
6. Ma io feci esattamente quello che mi avevi detto tu, Cesare!

4 Indicate le affermazioni corrette.

1. Caius Bonus voleva:
   ☐ a. assassinare Cesare
   ☐ b. procurare a Cesare la pozione magica
   ☐ c. diventare imperatore con l'aiuto di Asterix

2. Cesare:
   ☐ a. non crede alle parole di Asterix
   ☐ b. decide di dare Caius Bonus in pasto ai leoni del Colosseo
   ☐ c. affida a Caius Bonus una missione pericolosa

3. Alla fine:
   ☐ a. Cesare lascia andare i due Galli
   ☐ b. Cesare e Asterix diventano amici del cuore
   ☐ c. Cesare e Asterix si danno appuntamento a Roma

5 Nell'attività precedente abbiamo incontrato forme come "io *feci* esattamente quello che mi avevi detto tu". **Completate la tabella con:** *diede, fu, dicesti, feci.*

Verbi irregolari (I)		
avere	**essere**	**dare**
ebbi	fui	diedi (detti)
avesti	fosti	desti
ebbe	....	.... (dette)
avemmo	fummo	demmo
aveste	foste	deste
ebbero	furono	diedero (dettero)
dire	**fare**	**stare**
dissi	....	stetti
....	facesti	stesti
disse	fece	stette
dicemmo	facemmo	stemmo
diceste	faceste	steste
dissero	fecero	stettero

Altri verbi irregolari in Appendice a pagina 172.

6 Completate le frasi con le forme verbali del punto 5.

1. Ormai, dopo tanti anni, so bene che io .... male ad accettare la tua proposta.
2. Quel giorno .... una grande fortuna a incontrarti!
3. Quando sentii quelle parole gli .... un bacio.
4. Al concerto c'era tanta gente che Carla e Andrea .... in piedi tutta la sera.
5. Gli .... che lo avrei chiamato, però me ne dimenticai.

C   C'era una volta...

1   Completate la favola, scegliendo la parola opportuna tra quelle proposte in basso.

A sbagliare le storie

● C'era una volta una bambina che .....(1)..... Cappuccetto Giallo.

● No, Rosso!

● Ah, sì, Cappuccetto Rosso. La sua mamma la chiamò e .....(2)..... disse:
Senti, Cappuccetto Verde...

● Ma no, Rosso!

● Ah, sì, Rosso. Vai dalla zia Diomira a portarle questa buccia di patata.

● No: vai dalla nonna a portarle questa focaccia.

● Va bene: La bambina andò .....(3)..... bosco e incontrò una giraffa.

● Che confusione! Incontrò un lupo, non una giraffa.

● E il lupo le domandò: Quanto .....(4)..... sei per otto?

● Niente affatto. Il lupo le chiese: .....(5)..... vai?

● Hai ragione. E Cappuccetto Nero rispose...

● Era Cappuccetto Rosso, rosso, rosso!

● Sì, e rispose: vado al mercato a comprare la salsa di pomodoro.

● Neanche per sogno: vado dalla nonna che è malata, ma non .....(6)..... più la strada.

● Giusto. E il cavallo disse...

● .....(7)..... cavallo? Era un lupo.

● Sicuro. E disse così: Prendi il tram numero 33, scendi in piazza del Duomo, ...(8)..... a destra, troverai tre scalini e un soldo per terra; lascia stare i tre scalini, prendi il soldo e comprati una gomma da masticare.

● Nonno, tu non sai proprio raccontare le storie, le sbagli .....(9)..... Però la gomma da masticare .....(10)..... compri lo stesso.

● Va bene: eccoti il soldo! E il nonno tornò a leggere il suo giornale...

da Favole al telefono di Gianni Rodari

1.	☐ a. si chiamò	☐ b. si chiamava	☐ c. era
2.	☐ a. le	☐ b. la	☐ c. si
3.	☐ a. nel	☐ b. sul	☐ c. in
4.	☐ a. costa	☐ b. è	☐ c. fa
5.	☐ a. Come	☐ b. Dove	☐ c. Quanto
6.	☐ a. so	☐ b. quando	☐ c. cammino
7.	☐ a. Chi	☐ b. Quale	☐ c. Quello
8.	☐ a. gira	☐ b. torna	☐ c. sali
9.	☐ a. alcune	☐ b. molte	☐ c. tutte
10.	☐ a. se la	☐ b. me la	☐ c. te la

2   Quali espressioni usa la bambina per contraddire quello che dice il nonno?

3   Nel testo ci sono alcuni verbi irregolari al passato remoto. Sottolineateli.

4 I verbi che al passato remoto presentano delle irregolarità (1ª e 3ª persona singolare, 3ª plurale), seguono però dei modelli comuni. In base a questa osservazione cercate di completare la tabella.

Verbi irregolari (II)

molti verbi in *-dere* e *-ndere*

verbo	io	tu	lui/lei/Lei	noi	voi	loro
chiedere	**chiesi**	chiedesti	**chiese**	chiedemmo	chiedeste	**chiesero**
chiudere	**chiusi**	chiudesti		chiudemmo		
decidere	**decisi**					
prendere	**presi**	prendesti	**prese**	prendemmo	prendeste	**presero**
rispondere	**risposi**					

in *-ncere* e *-ngere*

vincere	vinsi	vincesti	vinse	vincemmo	vinceste	vinsero
vincere	**vinsi**	vincesti	**vinse**	vincemmo	vinceste	**vinsero**
convincere	**convinsi**					
piangere	**piansi**					

in *-gliere*

scegliere	scelsi	scegliesti	scelse	scegliemmo	sceglieste	scelsero
scegliere	**scelsi**	scegliesti	**scelse**	scegliemmo	sceglieste	**scelsero**
togliere	**tolsi**					

La lista completa dei verbi irregolari in Appendice a pagina 172.

10 - 12

D E la storia continua...

1 Lavorate in coppia. Fate l'abbinamento.

a. *Tempio della Concordia*, Agrigento (V* sec. a. C.)   **c.** *Castel Nuovo*, Napoli (XIII sec.)

b. *Palazzo Ducale*, Venezia (XIV sec.)   **d.** *Duomo*, Milano (XIV-XV sec.)

*I numeri romani in Appendice, a pagina 172.

2 Eravamo rimasti agli imperatori romani! Osservando la linea del tempo che segue, racconta-te cos'è successo secondo l'esempio: "Nel 330 dopo Cristo Costantino trasferì la capitale dell'Impero a Costantinopoli".

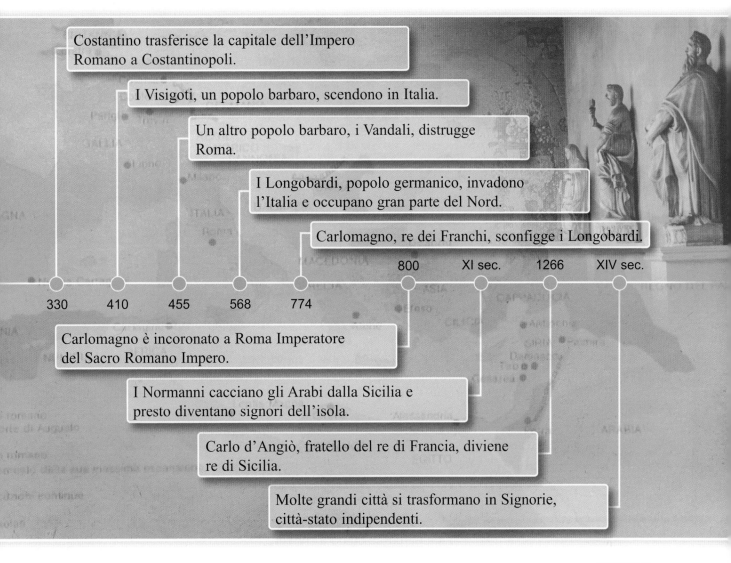

Costantino trasferisce la capitale dell'Impero Romano a Costantinopoli.

I Visigoti, un popolo barbaro, scendono in Italia.

Un altro popolo barbaro, i Vandali, distrugge Roma.

I Longobardi, popolo germanico, invadono l'Italia e occupano gran parte del Nord.

Carlomagno, re dei Franchi, sconfigge i Longobardi.

800   XI sec.   1266   XIV sec.

330   410   455   568   774

Carlomagno è incoronato a Roma Imperatore del Sacro Romano Impero.

I Normanni cacciano gli Arabi dalla Sicilia e presto diventano signori dell'isola.

Carlo d'Angiò, fratello del re di Francia, diviene re di Sicilia.

Molte grandi città si trasformano in Signorie, città-stato indipendenti.

3 Osservate queste frasi e completate la tabella.   13 e 14

Dopo che i Franchi **ebbero sconfitto** i Longobardi, Carlomagno divenne imperatore.
Dopo che la famiglia dei Medici **fu salita** al potere, Firenze cominciò a fiorire.

Il trapassato remoto

Cambiai idea dopo che mi **ebbero raccontato** tutto.

Solo quando i giornalisti .... **entrati**, il presidente iniziò a parlare.

Il *trapassato remoto* si usa raramente e in frasi introdotte da **quando**, **dopo che**, **non appe-na**, **appena (che)**. Il *trapassato remoto* esprime un'azione avvenuta prima di un'altra espres-sa con il *passato remoto*.

15 e 16

4 Leggete i due testi e abbinate le affermazioni a quello corrispondente.

Perugia, Palazzo comunale e Fontana maggiore

Lorenzo il Magnifico

A

I Comuni

Dopo l'anno Mille, la piazza divenne il nuovo centro vitale delle città: nelle piazze principali di molte città italiane si trovano ancor oggi la cattedrale e i palazzi del potere cittadino.

In questo periodo le invasioni barbariche cessarono e, grazie alla ripresa del commercio, le città lentamente si svilupparono e diventarono Comuni, con consoli eletti direttamente dai cittadini.

La popolazione era allora divisa in tre classi: i nobili, ricchi proprietari di terra; i "borghesi", la nuova classe formata da mercanti e professionisti; infine, il popolo, cioè contadini e lavoratori che non avevano diritto di voto. La scelta del console, perciò, era ristretta alle famiglie più potenti della città, nobili e in seguito anche borghesi, che spesso entravano in conflitto tra loro.

B

Signorie e Principati

Nel XIV secolo molti Comuni, già in mano a poche famiglie ricche, videro l'ascesa di un Signore, che divenne capo assoluto della città. Questo potere si trasmetteva di padre in figlio e così i cittadini persero il diritto di eleggere i propri rappresentanti.

I Signori cercavano di espandere il proprio dominio ed erano frequenti guerre sanguinose con le città vicine: l'idea di un'Italia unita era ovviamente molto lontana.

Nello stesso tempo, alcuni Signori amanti della cultura chiamarono nelle loro corti i migliori artisti dell'epoca per abbellire le città di opere d'arte, che ancora oggi è possibile ammirare.

Tra queste famiglie ricordiamo a Firenze quella dei Medici, ricchi banchieri. Lorenzo De' Medici, detto *il Magnifico*, fece di Firenze una vera e propria città-museo. Altre famiglie che accolsero artisti nelle loro corti furono gli Sforza a Milano, gli Este a Ferrara e i Montefeltro a Urbino.

adattato da L'Italia dal Medioevo al Rinascimento

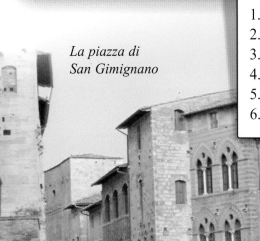

La piazza di San Gimignano

	A	B
1. Le città cominciano a rivivere.		
2. Nasce una nuova classe sociale.		
3. Le famiglie più potenti prendono il controllo.		
4. C'è un periodo di lotte tra le città.		
5. Gli abitanti hanno il diritto di eleggere il capo della città.		
6. Guerre e creazione artistica vanno di pari passo.		

Federico da Montefeltro

5 Nei due testi precedenti abbiamo visto gli avverbi "lentamente" e "ovviamente". Da quali aggettivi derivano? Osservate e completate la tabella:

Avverbi di modo

vero-vera	⇨	È **veramente** strano quello che ha detto.	
sincero-sincera	⇨	**Sinceramente** non mi va di uscire.	**-a** ⬌ **amente**
ovvio-ovvia	⇨	Lui .... ha negato tutto!	
deciso-decisa	⇨	Fulvio è **decisamente** simpatico.	
forte	⇨	Ha **fortemente** difeso le sue idee.	
apparente	⇨	**Apparentemente** ha fatto un ottimo lavoro.	**-e** ⬌ **emente**
veloce	⇨	Devi agire quanto più .... puoi.	
ma: difficile	⇨	**Difficilmente** mi fido di lui.	**le** ⬌ **lmente**
finale	⇨	Sono arrivati? ....!	**re** ⬌ **rmente**
particolare	⇨	Sono **particolarmente** curioso.	

 17 e 18

E   Abilità

CD 1

1   Ascolto   Quaderno degli esercizi (p. 140)

2   Parliamo

1. Si dice "Popolo che non ricorda la sua storia non ha futuro". Cosa ne pensate?
2. Qual è il periodo della storia (del vostro paese o internazionale) che vi affascina di più e per quale motivo?
3. Che cosa sapete della vita quotidiana ai tempi dei Romani e nel Medioevo?
4. Quali sono gli avvenimenti più importanti della storia del vostro paese (nell'antichità o nell'epoca moderna)? Parlatene in breve.

Il banchetto di un Signore del '400

3   Scriviamo

1. Raccontate un avvenimento (o un periodo) della storia che ritenete molto importante o affascinante, giustificando anche la vostra scelta. *(100-120 parole)*
2. Un tuo amico, sapendo che studi l'italiano, ti chiede se sai qualcosa della storia d'Italia, dall'antichità a oggi. In base alle pagine precedenti e a quelle che seguono, scrivigli un'e-mail per riassumere in breve quello che ricordi. *(120-140 parole)*

⮕ Test finale

Brevissima storia d'Italia

Dalle Signorie al dominio straniero

Nel '400 l'Italia era divisa in Signorie, cioè in piccoli stati indipendenti spesso in lotta tra loro. Fu questo un periodo di intensa attività culturale, da cui prese origine il *Rinascimento*. La divisione del territorio italiano in piccoli stati, deboli di fronte alle grandi potenze europee dell'epoca, provocò frequenti occupazioni straniere. In pratica dal 1500 al 1800 l'Italia fu sempre in mani straniere: francesi, spagnoli e nell'Ottocento gli austriaci si contesero parti del territorio della Penisola tra guerre e distruzioni.

Alcuni stati, comunque, conservarono in gran parte la loro indipendenza, soprattutto le Repubbliche di Venezia e di Genova, il Ducato di Savoia (che comprendeva il Piemonte e la Sardegna) e lo Stato della Chiesa.

Verso l'Indipendenza

Nonostante tanti anni di occupazioni, a partire dal 1800 lo spirito d'indipendenza si diffuse a poco a poco lungo tutta la penisola. Nella seconda metà del secolo e dopo vari tentativi falliti, tutto cambiò grazie all'abilità diplomatica del conte di Cavour, primo ministro dello Stato del Piemonte, e al coraggio di uomini come Garibaldi, che con soli mille uomini

Giuseppe Garibaldi

liberò l'intera Sicilia e giunse fino a Napoli. Nel 1861 il Parlamento proclamò* Vittorio Emanuele II re d'Italia. Infine, nel 1870 l'esercito italiano entrò a Roma, che da secoli apparteneva allo Stato della Chiesa, trasferendovi la capitale del Regno d'Italia.

Dall'Unità al fascismo

All'indomani dell'Unità, l'Italia era però un Paese povero e con grandi differenze tra il Nord e il Sud. Tanta era la povertà che milioni d'italiani emigrarono* in America.

Nonostante i grandi problemi sociali interni, nel 1915 l'Italia partecipò alla I Guerra mondiale, dalla quale uscì tra i paesi vincitori, ma pagando un alto prezzo: ben 700.000 morti!

Dopo la guerra, tormentata* ancora da una grave crisi socio-economica, l'Italia vide l'ascesa* di Mussolini: è il cosiddetto "ventennio fascista" (1922-1943) durante il quale si creò un regime* autoritario* e antidemocratico, basato sulla violenza e la paura.

Mussolini, il *Duce*, cercò con la propaganda di otte-

SE TU MANGI TROPPO DERUBI LA PATRIA

Il regime cercava di controllare la vita degli italiani dovunque, perfino a tavola; altro famoso slogan dell'epoca era "Taci! Se parli tradisci la patria"! Erano arrivati ad abolire* la stretta di mano come saluto...*

nere il consenso* del popolo e di diffondere idee come la "superiorità" del popolo italiano e la gloria della patria. Il suo scopo era riportare l'Italia alle glorie dell'antica Roma, ma condusse il Paese alla disastrosa alleanza con Hitler e all'entrata in guerra nel 1941. Per l'Italia, la II Guerra mondiale finisce ufficialmente il 25 aprile 1945. Tre giorni dopo Mussolini moriva fucilato. Quando gli alleati arrivano nel Nord Italia, i partigiani, cioè i cittadini che durante la "Resistenza" presero le armi contro i nazisti e i fascisti, avevano già liberato molte città.

Leggete i testi di questa pagina e mettete in ordine cronologico gli avvenimenti.

☐ a. Garibaldi libera l'Italia del Sud.
☐ b. Il Nord Italia è sotto il dominio austriaco.
☐ c. Molti italiani emigrano all'estero.
☐ d. Roma diventa capitale d'Italia.

☐ e. Per l'Italia inizia la II Guerra mondiale.
☐ f. Mussolini prende il potere.
☐ g. L'Italia ha 700.000 vittime di guerra.
☐ h. In Italia nasce il Rinascimento.

Il dopoguerra, il "boom" economico, gli "anni di piombo"

Dopo la fine della guerra, l'Italia è un Paese da ricostruire completamente, sia dal punto di vista politico-economico che sociale.

Nel 1946 un referendum* popolare proclamò la fine della Monarchia e l'inizio della Repubblica mentre nel 1948 ci furono le prime elezioni realmente democratiche.

Negli anni '50 e '60 l'Italia visse un periodo di grande sviluppo, tanto che si parlò di "boom" economico (vedi pagina 36). Tuttavia restavano grandi le differenze tra il Nord e il Sud del Paese: molti furono coloro che emigrarono dalle regioni del "Mezzogiorno" verso i grandi centri industriali italiani (Milano e Torino) e del Centro Europa (Svizzera, Germania, Francia e Belgio).

Con gli anni '70 inizia uno dei periodi più sanguinosi* della storia italiana, quello del terrorismo: tra gli eventi più tristemente noti, il rapimento* e l'uccisione, nel 1978, di Aldo Moro, un importante uomo politico, e la strage* alla stazione di Bologna nel 1980, che provoca 85 morti e 200 feriti.

Tra il XX e il XXI secolo

Gli anni '80 sono un periodo molto diverso: "divertirsi", "comprare", "apparire", sono le nuove parole d'ordine, diffuse anche dai primi canali TV privati nazionali.

Gli anni '90 in Italia iniziano con un grande scandalo politico, chiamato "Tangentopoli" (o "mani pulite"), che porta alla luce un vasto sistema di corruzione* diffuso in tutto il sistema politico del Paese. In questo decennio ha inizio un altro fenomeno importante: l'arrivo di centinaia di migliaia di immigrati* provenienti dai paesi dell'Europa dell'Est, dall'Africa, ma anche dalla Cina e dai paesi arabi, che fanno dell'Italia un paese multietnico.

All'inizio del nuovo secolo, l'evento più importante è stato l'arrivo dell'euro, la moneta unica che dal 2002 ha sostituito le singole valute dei paesi europei, dando inizio a una nuova storia per l'Italia, ancora più legata al futuro dell'Europa.

Glossario: proclamare: dichiarare, annunciare pubblicamente in forma ufficiale; emigrare: lasciare il proprio paese, o la propria regione, per trasferirsi in un paese straniero, o in un'altra regione; tormentato: sottoposto a dure difficoltà; ascesa: salita al potere; regime: forma di governo, sistema politico; autoritario: non democratico; consenso: approvazione, giudizio favorevole; patria: paese, nazione; abolire: eliminare; referendum: votazione in cui il popolo è chiamato ad esprimersi su questioni di interesse nazionale; sanguinoso: molto violento; rapimento: portare via con sé qualcuno con la violenza; strage: uccisione violenta di un gran numero di persone; corruzione: dare o ricevere denaro in cambio di comportamenti illegali; immigrato: chi si è trasferito, ad esempio, in Italia abbandonando il proprio paese.

Leggete i testi e indicate le affermazioni veramente presenti.

Attività online

☐ 1. Dal 1946 l'Italia non ha più un re.

☐ 2. La maggior parte degli immigrati provengono dall'Albania.

☐ 3. Grazie all'operazione "mani pulite" cambia la scena politica.

☐ 4. Negli anni '60 i lavoratori italiani emigrano anche verso altre città italiane.

☐ 5. Vittima del terrorismo è anche la gente comune.

☐ 6. Negli ultimi anni la situazione economica del Sud è migliorata molto.

Autovalutazione
Che cosa ricordate delle unità 3 e 4?

1. Sapete...? Abbinate le due colonne.

1. precisare
2. fare un paragone
3. chiedere informazioni
4. contraddire qualcuno
5. rispondere a un'accusa

a. Ma cosa dici?
b. Può dirmi il prezzo della matrimoniale?
c. Gli piace più viaggiare che lavorare.
d. Oggi. Voglio dire, stasera.
e. Posso spiegare tutto.

2. Abbinate le frasi.

1. Che lavoro fa?
2. Hanno litigato, eh?
3. Ti chiamo uno di questi giorni.
4. Mi hai un po' confuso.
5. Ti sei trovata bene?

a. Ci conto!
b. Allora mi spiego meglio.
c. Come a casa mia.
d. Mi sa che è ingegnere.
e. Niente affatto!

3. Completate o rispondete.

1. Due popoli che occuparono territori italiani nell'era moderna ....
2. Quanti anni durò il fascismo in Italia? ....
3. Quale dialetto fu alla base dell'italiano standard? ....
4. Il passato remoto di *fare* (terza pers. singolare): ....
5. L'avverbio che deriva da *facile* ....

4. Scoprite, in orizzontale e in verticale, le dieci parole relative alla storia e ai viaggi.

E	M	I	R	B	A	T	E	V	I
R	E	S	E	Q	G	I	S	U	S
I	D	U	S	U	E	P	E	G	B
L	I	S	I	G	N	O	R	I	A
A	O	P	S	O	Z	E	C	O	G
Z	E	S	T	B	I	K	I	D	A
F	V	I	E	M	A	S	T	Y	G
J	O	C	N	V	O	L	O	X	L
U	N	I	Z	P	O	R	T	O	I
E	S	F	A	S	C	I	S	M	O

**Verificate le vostre risposte a pagina 170.
Siete soddisfatti?**

Castello di Ferrara (Emilia Romagna)

Per cominciare...

1 Lavorate in coppia. Ascoltate solo le battute di Elisabetta cercando di capire che problemi ha Pierluigi e che soluzioni gli propone lei. Poi completate brevemente la tabella che segue.

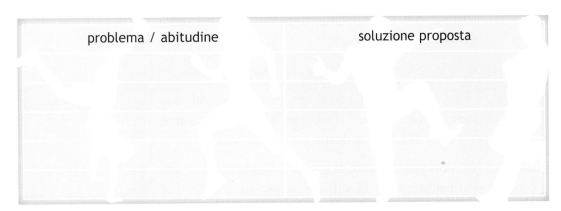

problema / abitudine	soluzione proposta

2 Secondo voi, quale abitudine di Pierluigi fa più male alla salute? E dei consigli di Elisabetta qual è il più importante? Scambiatevi idee.

3 Ascoltate l'intero dialogo e indicate le affermazioni veramente presenti.

1. Pierluigi dorme circa 6 ore al giorno.
2. Elisabetta crede che uno dei problemi di Pierluigi sia lo stress.
3. Secondo Elisabetta, il sonno è importantissimo.
4. Elisabetta crede che sia importante mangiare bene.
5. Pierluigi va a letto molto tardi.
6. A Pierluigi non piace fare sport.
7. La fidanzata di Pierluigi è un tipo sportivo.
8. Pierluigi pensa di andare in piscina.
9. Elisabetta consiglia a Pierluigi di prendere delle vitamine.
10. A Pierluigi piace l'idea delle vitamine.

In questa unità...

1. ...impariamo a esprimere pareri, opinioni, speranze, a porre condizioni, a chiedere e a dare il permesso di fare qualcosa, a parlare del viver sano;

2. ...conosciamo il modo congiuntivo presente e passato e il suo uso nelle proposizioni subordinate;

3. ...troviamo informazioni sugli italiani e lo sport.

A   Sei troppo stressato!

1   Leggete il dialogo per verificare le vostre risposte all'attività precedente.

Elisabetta: Ultimamente hai una faccia stanca. Come mai? Non dormi abbastanza?

Pierluigi: Mah, veramente non molto. Spesso mi rigiro nel letto per ore. Ovviamente, il giorno dopo mi sento molto stanco, debole...

Elisabetta: Sì, vede, infatti. Secondo me, sei troppo stressato.

Pierluigi: Lo so, ma è possibile oggi non essere stressati, con questi ritmi frenetici? Tu come fai a essere sempre così fresca? La notte dormi parecchio, vero?

Elisabetta: No, non più di tanto. Il sonno è fondamentale, ma non pensare che sia sufficiente per stare bene. Per esempio, dubito che tu abbia mangiato qualcosa stamattina.

Pierluigi: Beh, è vero, ho bevuto solo un caffè, come al solito.

Elisabetta: Ecco, vedi? Allora è logico che tu non abbia energie. Non fai sport, o sbaglio?

Pierluigi: Ma con gli orari che ho, com'è possibile che io trovi il tempo per farlo?

Elisabetta: Almeno il fine settimana potresti fare jogging, no?

Pierluigi: Sì, ci manca solo questo! Mi pare di sentire la mia fidanzata! Lei va in piscina tre volte alla settimana e insiste perché faccia sport anch'io.

Elisabetta: E ha ragione, sei troppo pigro! Almeno prendi delle vitamine, in commercio esistono molti tipi di integratori, anche se non credo che basti...

Pierluigi: Invece sì! Questa è un'idea che mi piace! Penso proprio che questo sia più semplice che fare jogging!

2 Lavorate in coppia. Scegliete le affermazioni giuste.

1. Quando Elisabetta dice "non più di tanto" intende che: a. non dorme come un tempo, b. non dorme molto

2. E poi dice "Ecco, vedi?" come per dire: a. "Lo sapevo", b. "Hai capito?"

3. Infine, Pierluigi dice "Sì, ci manca solo questo!" perché: a. è da tempo che non fa jogging, b. non pensa proprio di fare jogging

3 Ormai Pierluigi sembra deciso a fare dei cambiamenti; ne parla, quindi, con la sua fidanzata, Chiara. Completate il loro dialogo con le parole date.

Pierluigi: Sai, ultimamente mi sento un po' debole. Penso che ....*sia*........ colpa del fatto che dormo poco.

Chiara: Io credo che tu .... molto stressato, amore. E, poi, non mangi per niente bene, senza contare che dovresti fare più movimento...

Pierluigi: Uffa, non ricominciare! Ok, hai ragione: è ora che io .... le mie abitudini!

Chiara: Sì, dici sempre così, ma poi non lo fai mai!

Pierluigi: No, no! Penso di ricominciare ad andare in palestra... almeno un paio di volte al mese! Poi dovrei dormire di più: credo che otto ore di sonno ....

Chiara: Se guardi la tv tutte le sere fino all'una, non credo tu possa dormire molto.

Pierluigi: È vero, basta anche con la tv! A meno che non ci sia qualche bella partita, ovvio, un bel film... E, infine, comprerò degli integratori, sembra che .... molto bene.

Chiara: Tesoro, sono contenta che tu .... decisioni tanto importanti! Meglio tardi che mai! Spero però che questa volta tu .... veramente quello che dici!

cambi

abbia
preso

sia

sia

facciano

bastino

faccia

4 Rispondete alle domande. *(15-20 parole)*

1. Quali decisioni ha preso Pierluigi? ....

....

2. Su che cosa sono d'accordo Chiara ed Elisabetta? ....

....

5   Nel dialogo introduttivo abbiamo visto frasi come:

"...è logico che tu non *abbia* energie."

"Penso proprio che *sia* più semplice che fare jogging!"

Cercate di completare la tabella con le forme mancanti.

Congiuntivo presente

	are ⇨ i	ere ⇨ a	ire ⇨ a / isca
	parlare	**prendere**	**partire**
	Angela pensa che:	*Bisogna che:*	*È necessario che:*
io	parl**i**	prend**a**	part**a**
tu	parl**i**	....	part**a**
lui, lei	.... *molto.*	prend**a** *delle*	part**a** *subito.*
noi	parl**iamo**	prend**iamo** *vitamine.*	....
voi	parl**iate**	prend**iate**	part**iate**
loro	p**a**rl**ino**	pr**e**nd**ano**	p**a**rt**ano**

ma:	**essere**	**avere**		**finire**
	Lei spera che:	*Può darsi che:*		*Anna vuole che:*
io	**sia**	**a**bbia		fin**isca**
tu	**sia**	....		fin**isca**
lui, lei	.... *sempre*	**a**bbia *ragione.*		fin**isca** *presto.*
noi	**siamo** *d'accordo.*	**a**bbiamo		fin**iamo**
voi	**siate**	**a**bbiate		fin**iate**
loro	s**i**ano	**a**bbiano		fin**i**scano

6   Osservando la tabella formate delle frasi mettendo il verbo tra parentesi al congiuntivo.

1. Signorina, non è certo che il Suo volo *(partire)* in orario.
2. Bisogna che tu *(lavorare)* di meno, sembri molto stanco.
3. Se non spedisci il pacco subito può darsi che io non lo
    (ricevere) in tempo.
4. Mi pare che voi non *(avere)* voglia di lavorare seriamente.
5. È necessario che noi *(arrivare)* prima di loro.
6. Signora, mi sembra che Lei *(preoccuparsi)* senza motivo.

1 - 3

7 Nelle pagine precedenti abbiamo incontrato le frasi: "dubito che tu *abbia mangiato* qualcosa" e "sono contenta che tu *abbia preso* decisioni così importanti". **Osservate:**

Congiuntivo passato

Diana crede che io **abbia parlato** male di lei, ma non è vero.
Può darsi che **abbiano perso** il treno, per questo sono in ritardo.

Non credo che tu **sia venuta** solo per chiedermi scusa!
Sono contento che voi **siate riusciti** a superare il test finale.

Secondo voi, qual è la differenza tra il congiuntivo presente e quello passato?

➡ 4 - 6

B Fa' come vuoi!

CD 1
20

1 Ascoltate i mini dialoghi e abbinateli alle foto. Attenzione, c'è una foto in meno!

CD 1
20

2 Ascoltate di nuovo e completate con le espressioni che avete sentito:

Permettere - Tollerare

1. ....   2. *Fa' come ti pare!*

3. ....   4. ....   5. ....

---

3 **Sei A: dici a B che:**

Role-play

- *probabilmente farai tardi al vostro appuntamento*
- *gli/le comprerai qualcosa per il suo compleanno*
- *non gli/le puoi dare in prestito tutti i cd che ti ha chiesto*
- *devi assolutamente usare il suo cellulare*
- *vorresti usare di nuovo il suo computer*
- *prenderai la sua bici perché il tuo motorino non va*

Sei B: rispondi ad A usando le espressioni viste al punto 2.

4 **Nei dialoghi precedenti, abbiamo incontrato alcuni verbi irregolari** ("non credo tu *possa* dormire molto", "Spero però che tu *faccia* quello che dici"). **Osservate e completate la tabella con le forme mancanti.**

Verbi irregolari al congiuntivo

Come vedete, le forme irregolari del congiuntivo presente
si formano in base alla prima persona singolare dell'indicativo presente dei verbi.

Infinito	Indicativo	Congiuntivo presente			
andare	vado	**vada**	**andiamo**	**andiate**	**vadano**
dire	dico	**dica**	**diciamo**	**diciate**	**dicano**
fare	faccio	....	**facciamo**	**facciate**	**facciano**
venire	vengo	**venga**	**veniamo**	**veniate**	**vengano**
potere	posso	**possa**	**possiamo**	**possiate**	....
ma:					
dare	do	**dia**	....	**diate**	**diano**
dovere	devo	**debba**	**dobbiamo**	**dobbiate**	**debbano**
sapere	so	**sappia**	**sappiamo**	....	**sappiano**
stare	sto	**stia**	**stiamo**	**stiate**	**stiano**

Una lista più completa si trova in Appendice a pagina 173.

5 **Completate le frasi osservando la tabella.**

1. È necessario che *(venire)* anch'io? Mi aspettano gli amici in piazza...
2. Non credo che quei due *(stare)* più insieme, probabilmente si sono lasciati.
3. Non è giusto che voi *(andare)* a spasso mentre io resto a casa a studiare!
4. Laura pensa che tu le *(dovere)* chiedere scusa per il tuo comportamento.
5. Ma è possibile che in questa casa nessuno mi *(dare)* mai una mano?
6. La mia ragazza vuole che io *(fare)* una vita più sana.

7 e 8

C   Come mantenersi giovani

 1   Lavorate in coppia. In basso sono dati alla rinfusa alcuni fattori che ci mantengono giovani o che ci fanno invecchiare: inseriteli nella colonna che ritenete giusta e confrontate le vostre scelte con i compagni.

Cosa invecchia   **Cosa mantiene giovani**

dormire almeno 7 ore a notte - fumo - troppi alcolici - vivere in una grande città - soffrire di solitudine - camminare un'ora al giorno - annoiarsi - ritmi regolari - alimentazione ricca ma senza eccessi - vita sedentaria - alimentazione ricca di grassi - usare molto la macchina - vivere in montagna o in campagna - carattere equilibrato - molti interessi - stress

 **2**   Rispondete alle domande.

1. In base alle informazioni del punto 1, pensate di condurre una vita sana che vi aiuterà a mantenervi in forma anche in futuro? Parlatene.

2. In base alle informazioni ricavate dalla discussione in classe, consigliate a un vostro compagno cosa fare per migliorare la propria salute.

3. Osservate la foto a destra. Quanto credete sia equilibrata la vostra alimentazione (quantità - qualità)?

4. La lista di sopra vi ha convinto a cambiare qualcosa? In genere pensate di cambiare qualche abitudine?

 3   Scrivete ad un amico una lettera in cui annunciate e motivate la vostra decisione di cambiare stile e ritmo di vita. *(100-120 parole)*

4 Secondo voi, quando usiamo il congiuntivo? In coppia, abbinate le due colonne, come nell'esempio. Verificate le vostre ipotesi a pagina 173.

Uso del congiuntivo (I)

Usiamo il congiuntivo in frasi dipendenti da altre che esprimono generalmente soggettività, volontà, incertezza, stato d'animo ecc., ma solo *quando i due verbi hanno soggetti diversi*. In particolare quando esprimono:

Opinione soggettiva	Sono felice / **contento che** tutto sia andato bene.
Incertezza	**Aspetto che** arrivi mia madre per uscire.
Volontà	Credo / **Penso che** tu debba accettare l'offerta.
Stato d'animo	Ho paura / **Temo che** lui se ne vada.
Speranza	Voglio / **Non voglio che** tu faccia tardi stasera.
Attesa	Spero / **Mi auguro che** tutto finisca bene.
Paura	**Non sono sicuro / certo che** Mario sia leale.

Attenzione! Se una frase esprime certezza o oggettività usiamo l'indicativo:
-Sono sicuro che lui è un amico. / -So che è partito ieri. / -È chiaro che hai ragione.

Inoltre, il congiuntivo si usa con verbi o forme **impersonali**:

Bisogna che voi torniate presto.
Può darsi che Tiziana non possa venire con noi.
Si dice che Carlo e Lisa si siano lasciati.
Pare / Sembra che siano ricchi sfondati.
È bene che siate venuti presto.
(non) { **È necessario / importante che** io parta subito.
È possibile / impossibile che tutti siano andati via.
È probabile / improbabile che lei sappia già tutto.

La lista completa delle forme che richiedono il congiuntivo in Appendice a pagina 173.

5 Usate il congiuntivo dove necessario, come nell'esempio.

> Luigi ha dei problemi. *(credo)*
> *Credo che Luigi abbia dei problemi.*

1. I nuovi giocatori sono veramente bravi. *(sono certo)*
2. Decide sempre lui, in fin dei conti è il capo! *(è giusto)*
3. Anna ce l'ha fatta da sola. *(dubito)*
4. Fa' presto! Siamo già in ritardo. *(bisogna)*
5. Vengono anche gli zii per le feste? *(sai se)*
6. La lezione sta finendo... sono stanco morto. *(spero)*

 9 - 11

D   Viva la salute!

1   Confrontate queste due foto. Quale tipo di esercizio fisico preferite e perché? Scambiatevi idee.

CD 1

2   Lavorate in coppia. Ascoltate l'intervista all'istruttore di una palestra. Prendete appunti e confrontateli con quelli del vostro compagno.

CD 1

3   Ascoltate di nuovo e indicate le affermazioni corrette.

1. La palestra è frequentata da persone
   - a. prevalentemente anziane
   - b. intorno ai 15 anni
   - c. sui 40 anni
   - d. dai 15 anni in su

2. I servizi offerti comprendono
   - a. idromassaggio e tennis
   - b. massaggio e sauna
   - c. sport di squadra per bambini
   - d. aerobica per bambini

3. Generalmente c'è più gente
   - a. la mattina presto
   - b. nel pomeriggio
   - c. intorno alle 20.00
   - d. dopo le 20.00

4. La palestra
   - a. ha sempre più clienti
   - b. ha sempre meno clienti
   - c. ha meno clienti in estate
   - d. ha più clienti dopo l'estate

4   Leggete queste affermazioni. A quali dei punti (1-4) dell'attività precedente corrispondono?

a. C'è chi si iscrive a una palestra *nonostante* finisca di lavorare tardi.

b. La palestra offre molti servizi *affinché* i clienti possano scegliere le attività che preferiscono.

5 Osservate di nuovo le frasi del punto precedente e poi la tabella che segue:

Uso del congiuntivo (II)

Usiamo il congiuntivo anche dopo alcune congiunzioni:

benché / sebbene **nonostante / malgrado**	Luca mi ha invitato, **nonostante** mi *conosca* poco.
purché / a condizione che **a patto che / basta che**	Viene con noi, **a condizione che** *scelga* lei il locale.
senza che	Andrò allo stadio, **senza che** i miei lo *sappiano*.
nel caso (in cui)	**Nel caso** ci *sia* uno sciopero, vi verrò a prendere.
perché / affinché	Ti dirò tutto, **affinché** tu *capisca* che la colpa non è mia.
prima che	Dobbiamo fare gol **prima che** finisca il primo tempo. ***ma:*** Passerò da casa mia *prima di venire* da te.
a meno che / (tranne che)	Verrà, **a meno che** non piova molto!

In Appendice, a pagina 174, troverete altre forme che richiedono il congiuntivo.

---

6 Completate le frasi con le congiunzioni date a fianco.

1. Ti dirò cos'è successo, ... tu non lo dica a nessuno.
2. Le presterò il mio motorino, ... non abbia molta esperienza.
3. Rodolfo è qui alla festa .... nessuno lo abbia invitato.
4. Gli telefono subito, ... faccia in tempo a prepararsi.
5. .... siano divorziati, continuano a vivere insieme.

> *nonostante*
> *sebbene*
> *purché*
> *affinché*
> *senza che*

 12 - 15

7 Finora abbiamo visto due tempi del congiuntivo, il **presente** ("credo che lei *mangi* poco") e il **passato** ("credo che lei *abbia mangiato* poco"). **Secondo voi, quando li usiamo? Osservate:**

La concordanza dei tempi del congiuntivo

Quando il verbo della frase principale è al presente abbiamo queste alternative:

Credo che Laura ⟨ **faccia** / farà un buon lavoro. (*domani, nel futuro*)
                              faccia un buon lavoro. (*oggi, nel presente*)
                              abbia fatto un buon lavoro. (*ieri, nel passato*)

16

E   Attenti allo stress!

1   Chi di voi si sente stressato? Quali cose vi stressano e come reagite quando siete sotto stress?

2   Ogni cambiamento nella vita può causare stress. Quali sono, secondo voi, le prime cinque cause in questa lista elaborata da un gruppo di psicologi? Lavorate in coppia e alla fine scambiatevi idee tra coppie. (La lista completa in Appendice a pagina 176)

- Cambiamento abitudini personali
- Difficoltà economiche
- Figlio/a che lascia la casa
- Fine di una relazione sentimentale
- Cambiamento situazione economica
- Problemi familiari
- Frequentare una nuova scuola

- Esame importante
- Perdita del lavoro
- Gravidanza
- Lite con un amico
- Problemi nel lavoro / a scuola
- Cambiamento di casa
- Matrimonio

CD 1
22

3   Ascoltate le persone che parlano e descrivete la situazione che affronta ognuno di loro.

Alfredo R., 30 anni: ....
Paola L., 24 anni: ....
Pietro M., 19 anni: ....
Domenico F., 28 anni: ....

CD 1
22

4   Ascoltate di nuovo, questa volta consultando a pagina 176 la graduatoria che hanno preparato gli psicologi: quale persona è più stressata, secondo voi?

5   Osservate i disegni e raccontate, oralmente o per iscritto, la storia.

6 Leggete il testo e indicate le cinque affermazioni effettivamente presenti.

Come non parlare di calcio

Io non ho nulla contro il calcio. Non vado negli stadi per la stessa ragione per cui non andrei a dormire di notte nei sotterranei della Stazione Centrale di Milano, ma se mi capita mi guardo una bella partita con interesse e piacere alla televisione, perché riconosco e apprezzo tutti i meriti di questo nobile gioco. Io odio gli appassionati di calcio.

Non amo il tifoso perché ha una strana caratteristica: non capisce perché tu non lo sei, ma insiste nel parlarne con te. Per far capire bene cosa intendo dire faccio un esempio. Io suono il flauto dolce. Supponiamo ora che mi trovi in treno e chieda al signore di fronte a me, per attaccare discorso:
- "Ha sentito l'ultimo cd di Frans Brüggen?"
- "Come, come?"
- "Dico la *Pavane Lachryme*. Secondo me rallenta troppo all'inizio."
- "Scusi, non capisco."
- "Ah, ho capito, Lei non..."
- "Io non."
- "Curioso... Lo sa che per avere un flauto *Coolsma* fatto a mano bisogna attendere tre anni? Ma Lei ci arriva fino alla quinta variazione di *Derdre D'Over*?"
- "Veramente io vado a Parma..."
- "Ah, ho capito, Lei suona in F non in C. Non userà mica una tecnica tedesca?"
- "Io sinceramente i tedeschi..., la BMW sarà una gran macchina e li rispetto, ma..."
- "Ho capito. Usa una tecnica barocca. Ma..."
Ecco, non so se abbia reso l'idea. Lo stesso più o meno avviene con il tifoso. La situazione è particolarmente difficile con il tassista.
- "Ha visto Del Piero?"
- "No, deve essere venuto mentre non c'ero."
- "Ma stasera guarda la partita?"
- "No, devo occuparmi del libro Zeta della Metafisica, sa, lo *Stagirita*."
- "Bene. Io credo che non sia affatto facile vincere, Lei che ne dice?"
E via dicendo, come parlare al muro. Il problema è che lui non riesce a concepire che a qualcuno non importi niente di queste cose.

adattato da *Il secondo diario minimo* di Umberto Eco

Umberto Eco al flauto dolce

1. Umberto Eco non è mai andato allo stadio.
2. Eco odia le persone che si interessano solo di calcio.
3. Nel primo episodio parla con un passeggero che va a Parma.
4. I due uomini non hanno gli stessi interessi.
5. Il passeggero preferisce la musica italiana a quella tedesca.
6. Il tassista è un amante del calcio.
7. Lo scrittore non sa a quale partita si riferisca il tassista.
8. A Eco dà fastidio il fatto che il tassista non ami la letteratura.

 7 Secondo voi, per quali motivi Eco non ama andare allo stadio? E a voi piace? Motivate le vostre risposte.

8   Abbiamo imparato quando si usa il congiuntivo, adesso impariamo quando non usarlo!

> ## QUANDO *NON* USARE IL CONGIUNTIVO!
>
> ### Attenzione!
> Usiamo l'**infinito** o l'**indicativo** e **non il congiuntivo** nei seguenti casi:
>
> **stesso soggetto**
> Penso che tu *sia* bravo. *ma* **Penso di** *essere* bravo. (io)
>
> **espressioni impersonali**
> Bisogna che tu *faccia* presto. *ma* **Bisogna / È meglio** *fare* presto.
>
> **secondo me / forse / probabilmente**
> **Secondo me**, *hai* torto. / **Forse** lui non *vuole* stare con noi.
>
> **anche se / poiché / dopo che**
> L'Inter ha vinto **anche se** non *ha giocato* bene.

🔸 17 e 18

F   Vocabolario e abilità

1   Abbinate gli oggetti agli sport. Cosa sapete e cosa pensate di ogni sport?

....

ciclismo   tennis   nuoto   calcio   pallavolo   pallacanestro

CD 1
🎧 23

2   **Ascolto** Quaderno degli esercizi (p. 155)

Role-play

3   **Situazione**

Sei *A*: ultimamente sei ingrassato/a di qualche chilo. Un amico/un'amica (*B*) cerca di convincerti ad andare in palestra, o almeno a fare un po' di dieta, anche per motivi di salute. Ma tu, poiché sei un po' pigro/a, inventi sempre delle scuse.

4   **Scriviamo**

Negli ultimi 50 anni lo sport è diventato un importantissimo fenomeno sociale: sempre più spettatori e telespettatori, sempre più denaro investito. Però non mancano i problemi. Quali sono, secondo te? Nonostante questo, cosa ci offre lo sport? *(120-160 parole)*

🔸 Test finale

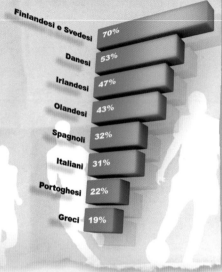

Secondo un sondaggio Eurobarometro

Praticano un'attività sportiva o fanno esercizio fisico almeno una volta alla settimana:

Finlandesi e Svedesi 70%
Danesi 53%
Irlandesi 47%
Olandesi 43%
Spagnoli 32%
Italiani 31%
Portoghesi 22%
Greci 19%

Le prime 25 attività sportive praticate in Italia	
Calcio/calcetto	4.363.000
Nuoto/pallanuoto	3.480.000
Ginnastica	2.204.000
Fitness/palestra	1.405.000
Sci/snowboard	2.060.000
Ciclismo	1.321.000
Tennis	1.298.000
Atletica leggera	995.000
Pallavolo	988.000
Pallacanestro	606.000
Bodybuilding	555.000
Danza	333.000
Pesca	323.000
Karate	244.000
Alpinismo*	197.000
Pesi	202.000
Bocce*	171.000
Pattinaggio	166.000
Equitazione*	156.000
Sub	143.000
Judo	136.000
Vela	127.000
Motociclismo	74.000
Golf	59.000
Tiro a segno	51.000
Tiro con l'arco	46.000

Lo sport in Italia

Come dimostra il sondaggio Eurobarometro, gli italiani non sono un popolo molto sportivo. Più che praticare qualche sport, preferiscono seguirlo dal vivo o in tv. Il grande successo delle trasmissioni e dei quotidiani sportivi ne è la prova.

Il **calcio** è senza dubbio lo sport più popolare e quello che ha portato i maggiori successi: la nazionale di calcio, i famosi *Azzurri*, ha vinto quattro volte i mondiali. D'altra parte, il *Campionato** italiano è molto spettacolare, poiché ospita anche grandi giocatori stranieri: le squadre italiane spendono grosse somme* per acquistare giocatori bravi e famosi, così sono riuscite a conquistare tantissimi titoli in campo nazionale e internazionale. L'antagonismo* è molto forte, specialmente tra squadre della stessa città: Milan e Inter, Juventus e Torino, Roma e Lazio.

La **pallacanestro** e la **pallavolo** sono sport molto seguiti e praticati. Le squadre italiane di pallacanestro hanno conquistato non pochi titoli a livello europeo e mondiale. Le squadre di pallavolo hanno fatto ancora di più: grazie anche al sostegno di grandi sponsor, sono da anni considerate le migliori del mondo; altrettanti successi ha ottenuto la nazionale.

Il **ciclismo** ha in Italia una lunga tradizione con molti praticanti dilettanti*, ma anche squadre di professionisti. Famoso è il *Giro d'Italia* le cui durissime tappe* coprono nei mesi di maggio-giugno l'intero paese e attirano non solo l'interesse di tanti spettatori e telespettatori, ma anche i migliori ciclisti del mondo, a caccia della mitica "maglia rosa".

L'**automobilismo** è molto seguito in Italia, soprattutto per merito della *Ferrari*. Non è tanto importante che vincano i piloti italiani di *Formula 1*, ma che la scuderia* di Maranello, che ha milioni di sostenitori in tutto il mondo, conquisti Gran Premi e Campionati, anche con piloti stranieri al volante*. Se il "cavallino rampante*" vince al Gran Premio di Monza, allora l'entusiasmo è ancora più grande.

Popolarissime sono anche le gare di moto, grazie ai successi dei piloti italiani, come ad esempio Valentino Rossi considerato tra i più grandi di tutti i tempi, ma anche della *Ducati*.

Sport, infine, come l'**atletica leggera**, il **nuoto** e lo **sci** hanno dato all'Italia importanti vittorie alle Olimpiadi e ai Campionati del mondo.

Glossario: <u>campionato</u>: serie di gare sportive per dare il titolo di campione al migliore atleta o alla migliore squadra; <u>somma</u>: quantità non precisata di denaro; <u>antagonismo</u>: rivalità, competizione; <u>dilettante</u>: che si dedica ad un'attività sportiva non per professione, ma per divertimento; <u>tappa</u>: nel giro ciclistico, la strada che si percorre in un giorno; <u>scuderia</u>: squadra di auto o di moto da corsa; <u>al volante</u>: alla guida dell'auto; <u>rampante</u>: detto di cavallo che solleva da terra le zampe anteriori; <u>alpinismo</u>: sport in cui si scalano le montagne, ci si arrampica sulle pareti delle montagne; <u>bocce</u>: gioco in cui vince chi manda le proprie palle, le bocce, più vicino al punto dov'è il pallino, il boccino; <u>equitazione</u>: andare a cavallo, svolgere gare sportive a cavallo; <u>ridotto</u>: reso più piccolo.

1. Le "Squadre Azzurre" di maggior successo sono quelle

☐ a. di ciclismo e di nuoto
☐ b. di calcio e di pallavolo
☐ c. di pallavolo e di pallacanestro
☐ d. di automobilismo e di atletica leggera

2. Le squadre italiane di calcio

☐ a. ottengono spesso successi a livello internazionale
☐ b. non hanno ancora vinto titoli europei
☐ c. non sono tanto ricche
☐ d. fanno giocare solo calciatori italiani

3. La *Ferrari*

☐ a. ha vinto più volte il Giro d'Italia
☐ b. ha sempre avuto piloti stranieri
☐ c. ha tifosi dappertutto
☐ d. ha sede a Monza

*Il **calcetto** è uno sport molto diffuso in Italia. Si tratta di calcio giocato tra squadre di cinque giocatori, ovviamente in campi di misure ridotte*.*

Il Giro d'Italia: una gara sempre durissima e, nello stesso tempo, affascinante. Organizzato per la prima volta nel 1909 da La Gazzetta dello Sport (il colore rosa della sua carta spiega il colore della maglia riservata al vincitore), copre circa 4.000 km. L'Italia può contare tra i più grandi ciclisti del mondo: Fausto Coppi e Gino Bartali (foto in alto) negli anni '40 e '50, Francesco Moser negli anni '80, Marco Pantani negli anni '90 e tanti altri.

*La **ginnastica** (artistica e ritmica) ha dato all'Italia diverse soddisfazioni, con le "giovani-azzurre" che a volte hanno ottenuto dei buoni successi. Ma l'atleta più titolato è Jury Chechi, cinque volte campione del mondo e una volta olimpionico.*

*Ogni inverno milioni di italiani si dedicano allo **sci**, una disciplina sportiva che ha dato molte soddisfazioni all'Italia, soprattutto a partire dagli anni '70.*

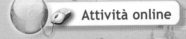

Attività online

Autovalutazione
Che cosa ricordate delle unità 4 e 5?

1. Sapete...? Abbinate le due colonne.

1. contraddire qualcuno
2. permettere
3. tollerare
4. esprimere incertezza
5. precisare

a. Vuoi invitare anche Carla? Fai pure!
b. A me non piace... però fa' come vuoi!
c. Non sono sicuro che sia andata così.
d. Lei è mia nipote, cioè la figlia di mia sorella.
e. Ma quale piazza, mamma? Sono stato a scuola!

2. Abbinate le frasi. Nella colonna a sinistra c'è una frase in più.

1. Alla fine pensi di studiare Medicina?
2. Mario lavora molte ore sebbene...
3. Ho saputo che si sono lasciati!
4. Finalmente si sposano!
5. Suo padre lo porta con sé affinché...
6. Ma tu perché hai detto questa cosa?

a. Già! L'ho capito quando ho visto Luisa da sola alla festa.
b. Neanche per sogno! Mi iscriverò a Farmacia!
c. ...impari presto il lavoro.
d. Così, per attaccare discorso.
e. Eh, meglio tardi che mai!

3. Completate o rispondete.

1. Lo sport di Fausto Coppi e quello di Valentino Rossi: ....
2. Altri due sport individuali che hanno dato vittorie all'Italia: ....
3. Due sport con il pallone: ....
4. Non richiede mai il congiuntivo: *perché / forse/ prima che*
5. Il congiuntivo presente (prima pers. sing.) di *leggere* e di *dire*: ....

4. Scegliete la parola adatta per ogni frase.

1. La Ferrari ha già vinto tre *gare/tappe/partite* di Formula 1 quest'anno.
2. Ti dirò tutto *tranne che/a patto che/nel caso in cui* tu non dica niente a nessuno.
3. Secondo me è *opportuno/impossibile/necessario* che Anna abbia parlato così.
4. Hai dei problemi perché non fai *buona alimentazione/sport/vita sedentaria*.
5. Per secoli l'Italia è stata sotto l'*immigrazione/indipendenza/occupazione* straniera.

Verificate le vostre risposte a pagina 170. Siete soddisfatti?

Pompei, Campania

nuovo

PROGETTO ITALIANO

2a

L. Ruggieri
S. Magnelli
T. Marin

Corso multimediale
di lingua e civiltà italiana

B1
QUADRO EUROPEO DI RIFERIMENTO

Quaderno degli esercizi

EDILINGUA

www.edilingua.it

1. **Completa il testo con gli articoli determinati e indeterminativi.**

Per molti italiani entrare in (1)............. bar fa parte del loro programma giornaliero. Ci possono andare (2)............. mattina a fare colazione con cappuccino e cornetto, all'ora di pranzo per (3)............. panino, (4)............. pomeriggio per (5)............. dolce seguito da (6)............. buon caffè, oppure (7)............. sera per bere qualcosa con (8)............. amici: (9)............. aranciata, (10)............. birra o (11)............. aperitivo. (12)............. caffè non costa molto e, di solito, prima di ordinare al barista dietro (13)............. banco dobbiamo pagare, dobbiamo "fare (14)............. scontrino".

2. **Completa con i possessivi e l'articolo, se necessario.**

1. Ci sono molti treni per Milano. Partiamo nel pomeriggio, ... treno è quello delle 18.25.
2. Il fratello di Gianni è molto simpatico, invece .... sorella è proprio antipatica.
3. Flavia, di chi è questo cellulare? È .... o di Carla?
4. - È questo l'indirizzo di Luca? - Sì, è ....
5. Io ho due cani. .... cani sono intelligenti.
6. - Gianna è la zia di Franco e Piero? - No, non è .... zia, è la sorella.

3. **Scrivi il contrario dei seguenti aggettivi.**

1. freddo ....
2. simpatico ....
3. alto ....
4. dolce ....
5. felice ....

6. piccolo ....
7. bello ....
8. buono ....
9. magro ....
10. stretto ....

4. **Abbina le frasi.**

a.

1. Mi chiamo Tiziana.
2. Scusa, per l'università?
3. Grazie mille!
4. Cosa prende per primo?
5. Quando è il tuo compleanno?
6. Cosa danno al cinema?
7. Quanto viene?

a. Niente di bello.
b. Preferisco solo un secondo.
c. Piacere, io sono Paolo.
d. 25 euro con lo sconto.
e. Va' dritto e al primo incrocio gira a sinistra.
f. Figurati!
g. Il 4 agosto.

b.

1. Quanti anni ha Carlo?	a. In Via Matteotti, in centro.
2. Fai tu i biglietti per Firenze?	b. Un po' piccolo. Mi dà una taglia più grande, per favore?
3. Come Le sta il vestito, signora?	c. Tre etti vanno bene, grazie.
4. Dove abiti ora?	d. Prendilo pure!
5. Quanto formaggio vuole?	e. È rosso, ma c'è anche in nero.
6. Mi presteresti il tuo cellulare?	f. Avrà circa trent'anni, non di più.
7. Di che colore è?	g. Sì! Andata e ritorno?

5. Presente, passato prossimo, imperfetto o trapassato prossimo? Completa il testo con i verbi dati.

Cara Flavia,

una volta mi (1. chiedere) ....: «Ma dove vi siete conosciuti tu e lo zio Edoardo?». E tua madre ha risposto per me: «In Brasile». «E dove (2. stare) .... il Brasile?» hai detto tu. Tuo zio Edoardo ed io (3. conoscersi) .... a Rio de Janeiro dove io tenevo un corso sulla scrittura teatrale all'Università Alvares Penteado e lui (4. insegnare) .... violino alla scuola di musica municipale oltre a dare concerti in varie altre città. Io abitavo nell'Istituto italiano di cultura, ospite di Antonio De Simone e di sua moglie Monique. I De Simone (5. essere) ....

Dacia Maraini

.... molto gentili, amavano avere la casa piena di gente: ogni volta che qualcuno arrivava dall'Italia, lo (6. ospitare) .... a casa loro. Per questo avevano due camere sempre pronte.

In una fotografia fatta da tuo zio Edoardo, io (7. scendere) .... da una scala che era quella interna dell'Istituto e tengo in mano dei quaderni. Passavo la giornata a leggere e a prendere appunti per la lezione serale: l'università (8. aprire) .... solo dopo le cinque. Gli studenti a Rio hanno tutti un lavoro e perciò (9. potere) .... dedicarsi agli studi solo nel tardo pomeriggio.

Tuo zio continuava a fotografarmi, coi libri sotto il braccio mentre scendevo le scale, uscivo dall'Istituto, (10. mangiare) .... al tavolo di cucina dei De Simone. Ma io non (11. capire) .... che gli piacevo. Era tanto timido tuo zio. Infine i giorni a Rio sono terminati. (12. Partire) .... con due aerei diversi, ad un giorno di distanza, e lui mi aveva chiesto solo il numero di telefono di Roma. Dopo una decina di giorni mi ha telefonato e mi (13. invitare) .... a cena per la sera dopo.

Adattato da *Dolce per sé* di D. Maraini

6. Completa le frasi con i pronomi diretti e i pronomi indiretti.

1. Stasera io sono a casa, se vuoi .... puoi chiamare verso le otto.
2. Allora ragazzi, ... è piaciuto il film?
3. Non riesco a trovare le chiavi di casa. Dici che .... ho perse?
4. Che ne dici? .... piace la mia nuova sciarpa?
5. Andrea ho mandato il suo curriculum vitae con un'email, ma non .... hanno ancora risposto.
6. - Gloria, vuoi un caffè? - Sì, grazie, ... prendo volentieri.

7. Completa il testo con il futuro semplice e il condizionale (semplice o composto) dei verbi dati.

È dai tempi dell'università che dicevo a Federica che (1. volere) ....
.... andare negli Stati Uniti. Finalmente, in estate ci (2. andare) ....
.... e sono sicuro che (3. divertirsi) .... tanto. In realtà,
Federica (4. preferire) .... andare in Giappone, ma... pazienza.
(5. Volere) .... venire anche Sandra e Gianni, ma ancora non
sono sicuri. Dicono che non (6. sapere) .... dove lasciare il loro
cane. Al posto loro, io lo (7. portare) .... con me. Ci fermeremo
un mese negli Stati Uniti, (8. visitare) .... varie città e a San
Francisco ci (9. ospitare) .... una nostra amica, Roberta. (10.
Fare, io) .... già .... i biglietti aerei, però all'agenzia di viaggi mi hanno detto di
aspettare qualche giorno perché (11. esserci) .... sicuramente delle offerte.

San Francisco

8. Completa l'articolo con le preposizioni corrette.

Lo *Street Art*, Festival romano (1).............. Arti di Strada, un modo freak, particolare, (2).............. esprimere il talento e fare spettacolo, arriva (3).............. sua IV edizione: 11 e 12 maggio nel Rione Borgo, luogo storico (4).............. capitale.
Sotto la cupola di S. Pietro, lungo Borgo Vittorio e Borgo Pio, (5).............. via dei Tre Pupazzi e via Degli Ombrellari, fino (6).............. piazza delle Vaschette e Piazza del Canalone, gli attori inviteranno romani e turisti (7).............. partecipare. A produrre l'evento il Municipio Roma XVII (ora Municipio Roma I): «Siamo felici (8).............. poter far continuare questa importante esperienza – spiegano gli organizzatori – sia (9).............. gli artisti che per tutti gli spettatori».
Una specie di viaggio urbano e metropolitano underground (10).............. scoperta, non solo del teatro di strada, ma di case, negozi, stradine e piccole piazze caratteristiche della città. «Il rapporto (11).............. artista e spettatore – continuano gli organizzatori – è un'esperienza magica: gli artisti di strada dimostrano che l'arte non è qualcosa (12).............. estraneo e non raggiungibile, ma fa parte di noi, vera chiave (13).............. migliorare la vita». Infine, l'edizione di quest'anno di Street Art ospiterà anche una mostra fotografica (14).............. teatro di strada e altre iniziative "top secret".

Adattato da *www.ansa.it* (Eugenia Romanelli)

9. Completa con i verbi all'imperativo.

1. Lucia, questa sera (venire) .... a cena da noi!
2. Ragazzi, non (dimenticarsi) .... di telefonare a vostra madre!
3. Antonio, non (fumare) .... in macchina!
4. È tutto il giorno che lavori, (riposarsi) .... un po'!
5. Elisa, (stare) .... tranquilla!
6. Ragazzi, (guardare) .... questo video su YouTube!

10. Completa con i verbi dati.

1. Tra amici .... sempre.
2. Da casa mia alla stazione, in macchina, ... dieci minuti.
3. Per fare gli spaghetti alla carbonara .... le uova.
4. Nelle piccole città .... meglio.
5. Per finire questo nuovo ospedale .... almeno cinque anni.
6. Hai fatto in fretta, ... poco a prepararti.
7. Per completare questo lavoro .... tanti anni.
8. Luca .... sempre il cappello prima di uscire.

si vive   ci hai messo   ci si aiuta   ci vorranno   ci vogliono   ci sono voluti   si mette   ci metto

11. Osserva le immagini e risolvi il cruciverba.

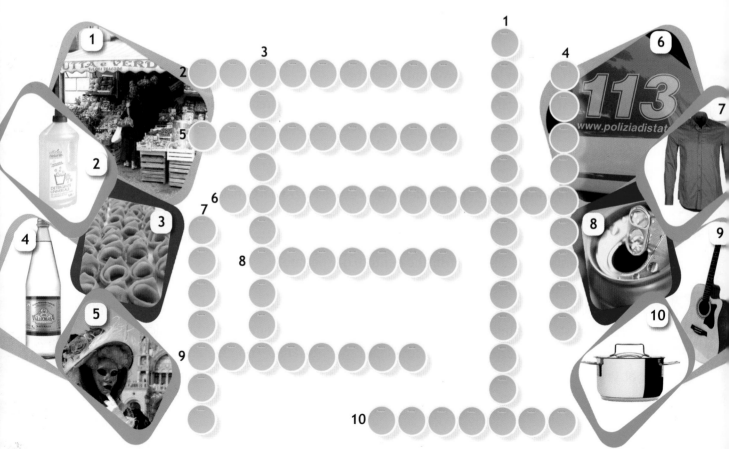

1. Collega le frasi con l'oggetto corrispondente.

a. la collana

b. le chiavi

c. le foto

d. gli occhiali da sole

e. il caffè

f. i soldi

1. Ve le lascio sul tavolo della cucina.

2. Te li presta mia sorella, perché c'è molto sole.

3. Me lo offri al bar?

4. Quando tornano dalle vacanze ce le fanno vedere.

5. Se è troppo pesante, te lo porto io.

6. Gliela regalo a mia moglie per il nostro anniversario.

7. Me li presta lui.

g. lo zaino

2. Scegli i pronomi combinati corretti.

1. - Claudio, ci puoi lasciare le ultime pagine dei tuoi appunti?

   - Certo, ... lascio subito, così fate le fotocopie.

   a. te le   **b.** ve le   **c.** ve lo

2. Se Laura ha bisogno dei libri, ... posso prestare io.

   a. te li   **b.** glieli   **c.** glielo

3. - Puoi dire tu a Lorenzo che l'appuntamento è alle 6?

   - Certo, ... dico io.

   a. glielo   **b.** ce lo   **c.** glieli

4. Sono arrivati i tuoi amici dalla Francia? Quando .... farai conoscere?

   a. ve li   **b.** me li   **c.** te li

5. Lorenzo e Beatrice vogliono i tuoi appunti, ... porto io?

    a. ve li   b. ce li   c. glieli

3. **Completa con i pronomi combinati**

1. ● Ragazzi, cercate di scrivere la composizione sul Romanticismo per lunedì.

   ● Professoressa, possiamo consegnar........................ mercoledì?

2. ● Piero, quando puoi, mi lasci il tuo quaderno?

   ● Certo, ... do domani.

3. ● Chi ti ha detto che Maria e Stefano si sono lasciati?

   ● Scusami, ma non .... posso dire.

4. ● Chi ti darà gli appunti di Letteratura?

   ● .... porterà a casa Claudio.

5. ● Gianni, ci puoi prestare il dizionario? Non capiamo il significato di alcune parole.

   ● .... presto, ma sapete che l'insegnante non vuole che lo usiamo.

4. **Completa le frasi con i pronomi combinati e i verbi al tempo giusto, come nell'esempio.**

Se vuoi questa rivista, (comprare) te la compro volentieri.

1. A Paolo piacciono i libri e io (regalare) .... uno al mese.

2. Signora, Le stanno bene queste scarpe, (consigliare) ....

3. Tiziano, appena avrò finito di leggere il libro, (dare) ....

4. Ragazzi, appena l'ho saputo, (dire) ....

5. Se Anna vorrà conoscere tutta la storia, (raccontare) ....

6. Da piccolo mi piacevano molto i dolci, i miei genitori (comprare) .... sempre.

5 **Collega le frasi scegliendo il pronome combinato corretto. Evidenzia anche il nome che si riferisce al pronome *ne*, come nell'esempio.**

1.	Ho finito il (latte,)	**ve ne**	a.	diamo noi una copia.
2.	Vuoi dell'acqua?	**gliene**	b.	consiglio uno molto bello.
3.	A Lucio serve una bicicletta nuova:	**ce ne**	c.	compri un litro?
4.	Abbiamo già finito gli esercizi; professoressa	**Te ne**	d.	regaliamo una noi?
5.	Se volete leggere un libro	**me ne**	e.	dà degli altri?
6.	Se vogliono gli appunti delle lezioni	**gliene**	f.	porto un bicchiere.

6. Completa con i pronomi combinati.

Ugo 2000 ☐ pubblicato Quote

URGENTE

Cerco le ultime lezioni di Fisica II. Qualcuno (1. a me) .... può prestare?

Mi piace 2

Franco B. ☐ pubblicato Quote

Io le ho, se vuoi (2. a te) .... posso portare in facoltà,

ma dovresti ridar........................ (3. a me) al più presto.

Mi piace 1

Maria e Rosa ☐ pubblicato Quote

CONCERTO VASCO ROSSI - Abbiamo due biglietti per il concerto del 7 maggio. Non

possiamo più andarci. (4. A voi) .... possiamo vendere a metà prezzo.

Mi piace 1

Aldo ☐ pubblicato Quote

Io vorrei andarci. (5. A me) .... vendi uno?

Mi piace 2

Piero ☐ pubblicato Quote

Magnifico! Ci vorrei andare con la mia ragazza. Se (6. a noi) .... dai

tutti e due, li prendo io.

Mi piace 2

Iusiuris ☐ pubblicato Quote

ESAME DI DIRITTO CIVILE I

Ho bisogno del libro per preparare l'esame. Chi (7. a me) .... vende?

Mi piace 0

A. N. ☐ pubblicato Quote

Un mio amico ha appena dato l'esame.

Forse lo vuole vendere: (8. a lui) .... chiedo.

Mi piace 0

7. Trasformate le frasi secondo il modello.

Se desideri quel libro, *posso regalartelo/te lo posso regalare* io per Natale.

1. I documenti che mi hai chiesto, (potere mandare) solo la prossima settimana.

   ....

2. Ho chiesto a Caterina il numero di telefono di Piero, ma non (volere dare).

   ....

3. Se volete dei libri per le vacanze, (potere prestare) io due o tre molto divertenti.

   ....

4. Laura, le foto che abbiamo fatto, (dovere mandare) via e-mail?

   ....

5. Federico, il cellulare (volere regalare) io.

   ....

6. Ho bisogno di un buon caffè: signorina, (potere preparare) uno?

   ....

8. Completa i dialoghi con le espressioni date.

Scusa	Le chiedo scusa	Mi scuso del mio comportamento	Ti chiedo scusa

Ma che dici	Figurati	Non importa	Si figuri

1. *Gianni*: ...., ma non ho fatto in tempo a portare i libri in biblioteca.

   Tonia: ....! Non preoccuparti: ci andrò io nel pomeriggio.

2. *Impiegato*: Direttore, ..., ma non posso rimanere, devo proprio andare via.

   Direttore: ....! Chiederò alla signora Barbara di sostituirLa.

3. *Franco*: ...., veramente, non volevo offenderti.

   Renato: ....! Per fortuna siamo fra amici.

4. *Moglie*: .... tanto, ma stasera non ho voglia di andare al cinema.

   Marito: ...., sono stanco anch'io.

9. Scegli i pronomi combinati corretti.

1. ● Ho saputo che Aldo si è diplomato. .... ha detto Luca.

   ● Sì, si è diplomato il mese scorso.

   a. Me li   **b.** Me l'   **c.** Me lo

2. ● Non mi ricordo: mi hai dato le chiavi?

   ● .... ho date poco fa, le hai messe nella borsa.

   a. Te le   **b.** Te lo   **c.** Te l'

3. ● Chi ha dato il mio numero di telefono a Lorenzo?

   ● .... ho dato io.

   a. Gliel'   **b.** Ce l'   **c.** Te l'

4. ● Hai fatto gli auguri a Piero?

   ● .... ho fatti con un sms, ma non mi ha ancora risposto.

   a. Gliele **b.** Glieli **c.** Glielo

5. ● Hai tu le mie fotocopie?

   ● Sì, ... hai date ieri, non ti ricordi?

   a. Me li **b.** Me l' **c.** Me le

6. ● Quanti giocattoli vi hanno regalato?

   ● .... hanno regalati tre.

   a. Ce li **b.** Ce l' **c.** Ce ne

10. Riscrivi le frasi evidenziate in blu, usando i pronomi combinati, come nell'esempio.

Mi hai chiesto un favore: ti ho fatto un favore.
Mi hai chiesto un favore e te l'ho fatto.

1. Volevate una cena da *Cipriani*. Vi ho offerto una cena da *Cipriani*.

   Volevate una cena da *Cipriani* e ....

2. Avevamo bisogno degli appunti di Massimo: lui ci ha dato i suoi appunti.

   Avevamo bisogno degli appunti di Massimo e ....

3. Avevo comprato un regalo per Gianni e ieri gli ho dato il mio regalo.

   Avevo comprato un regalo per Gianni e ....

4. Ho chiesto ad Angela la sua macchina e lei mi ha prestato la sua macchina.

   Ho chiesto ad Angela la sua macchina e ....

5. Un mese fa, Lucia mi ha prestato 50 euro e le ho già restituito i 50 euro.

   Un mese fa, Lucia mi ha prestato 50 euro e ....

6. Ho chiesto la medicina al farmacista e lui mi ha dato la medicina.

   Ho chiesto la medicina al farmacista e ....

11. Completa con i pronomi combinati e i verbi.

1. Avete portato le composizioni?
   Professoressa, ... solo una, l'altra non l'ho ancora finita.

2. Hai fatto vedere le nostre foto ai ragazzi?
   No, ancora non .... vedere.

3. Quando vi hanno consegnato la lettera?
   .... una settimana fa.

4. Chi ti ha detto che Francesco e Massimo sono partiti?
   .... Anna e Giulio.

5. Il professore vi ha spiegato i pronomi?
   No, non .... ancora ....

6. Chi ti ha regalato questi orecchini?
   .... mio marito per il mio compleanno.

95

12. Completa con i pronomi combinati.

| File | Modifica | Visualizza | Inserisci | Formato | Strumenti | Messaggio ? |

A...	pier9pier@libero.it
Cc...	
Oggetto	saluti

Ciao Piero,

come stai? Io sto abbastanza bene, anche se studio molto. Ti ricordi? (1)........................ avevi detto che l'università non sarebbe stata facile.

Lo sai cosa mi è successo la settimana scorsa? Era appena finita la lezione quando ho incontrato Lorenzo che voleva i miei appunti per l'esame di letteratura. Quando (2)........................ ha chiesti, sembrava così preoccupato che subito gli ho detto di telefonare a Valeria: ero sicuro che lei (3)........................ avrebbe prestati. E, infatti, così è stato! Ieri, mi ha telefonato Lorenzo arrabbiatissimo, perché non aveva superato l'esame, dicendo che gli appunti non erano completi. Pensa che io (4)........................ avevo detto che "i poeti minori dell'Ottocento" era un argomento fisso della professoressa Levi. Lei stessa, durante le lezioni, (5)........................ aveva ripetuto tante volte che sarebbe stata una domanda d'esame.

Certo che la gente è strana!

Tu, tutto bene? Hai parlato a Giulia? (6)........................ hai detto che vorresti cambiare lavoro? Il libro che volevi, (7)........................ ho spedito la settimana scorsa, ti è arrivato? Quando verrai a trovarmi? Ti ricordo che (8)........................ avevi promesso.

Ciao
Fabrizio

13. Completa le risposte scegliendo l'espressione giusta tra quelle date.

1. Hai saputo che Attilio ha comprato una Ferrari?
   Caspita! / Ma va! Con il suo stipendio al massimo avrà comprato una Cinquecento.

2. Mi ha telefonato Nicola e mi ha detto che si sposa fra una settimana.
   Davvero?! / Non è vero! Ma diceva sempre che lui non si sarebbe mai sposato!

3. Hai saputo che Luciana ha vinto una borsa di studio all'università?
   Non importa! / Chi l'avrebbe mai detto? Questa sì che è una bella notizia!

4. Sai che Ilaria e Vanni si sono lasciati?
   Caspita! / Figurati! Come mai? Stavano insieme da quindici anni!

5. Lo sai che vado per qualche giorno sulle Alpi?
   Non fa niente! / No! Con questo tempo ti consiglio di andare al mare!

6. Hai sentito che il padre di Antonio ha avuto un incidente?
   Bravo! / Incredibile! Proprio lui, che è sempre così attento!

7. Lo sai che oggi è sciopero e le poste sono chiuse?
   Prego! / Non me lo dire! Come faccio a spedire questo pacco?

8. Caro Paolo, ti comunico che il direttore ci darà una settimana di ferie pagate!
   Non ci credo! / Non fa niente! Sarà sicuramente uno scherzo!

14. Completa con quanto, quanti, quanta, quante.

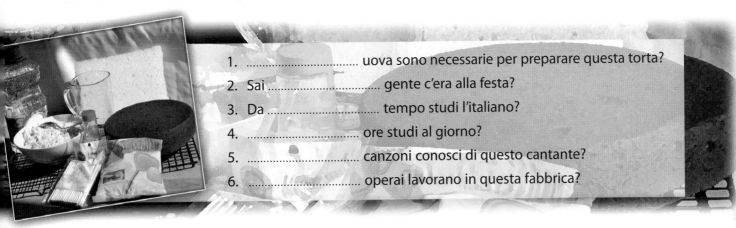

1. .... uova sono necessarie per preparare questa torta?
2. Sai .... gente c'era alla festa?
3. Da .... tempo studi l'italiano?
4. .... ore studi al giorno?
5. .... canzoni conosci di questo cantante?
6. .... operai lavorano in questa fabbrica?

15. Completa con quale, quali.

1. Oltre a Los Angeles, ... altre città avete visitato in America?
2. E .... è la città che ti è piaciuta di più?
3. .... colore, tra questi, preferisci?
4. .... di questi studenti verranno alla gita?
5. .... libro ti è piaciuto?

16. Cerchi lavoro. Durante il colloquio di lavoro in un'azienda ti fanno delle domande. Completa il testo con gli interrogativi.

1. ● .... Le ha consigliato di fare domanda alla nostra azienda?
2. ● .... lavori ha fatto prima di questo?
3. ● .... Le piace di questo lavoro?
4. ● .... è l'ultimo libro che ha letto?
5. ● .... anni ha e da .... lavora?
6. ● .... facoltà universitaria ha finito?

17. Scegli l'interrogativo corretto.

| che cosa | che cosa | chi | dove | perché | quale | quando | quanto |

1. .... vestito metterai per la festa di laurea?
2. .... ieri sera non sei uscito con noi?
3. .... stanno facendo i bambini?
4. Per .... sono queste bellissime rose rosse?
5. .... pensi di fare durante le vacanze?
6. .... sei andato in vacanza?
7. .... costa questo vestito?
8. .... pensi di venire?

18. Completa liberamente le frasi con gli interrogativi (negli spazi neri) e il verbo al modo e al tempo appropriato (negli spazi in rosso).

1. .... ieri non .... la verità? Non ti ha creduto nessuno.   (dire)

2. Paola, ... l'ultima volta all'estero? Negli Stati Uniti o in Austra-lia?
   (andare)

3. Andrea, ... amici .... invitare al concerto? Lo sai che non ci sono molti biglietti.
   (volere)

4. .... il tuo programma televisivo preferito, quando eri piccolo?
   (essere)

5. Giulia, ... la macchina fotografica che abbiamo comprato ieri?
   (mettere)

6. Ragazzi, ... alla festa questa sera? Con la macchina di Valeria?
   (andare)

19. Completa con le preposizioni.

1. Se tu non ne hai voglia, vuol dire che andrò .... solo a mangiare .... ristorante.

2. Quest'anno andrò .... vacanza .... montagna: c'è meno confusione.

3. Lisa ha una bellissima casa .... periferia, ... mezzo .... verde, ma vorreb-be vivere .... centro.

4. Ma perché continui a ridere? Guarda che mi offendo .... serio.

5. Invece .... lavorare, in questo momento vorrei essere .... mare insieme .... mia famiglia.

6. Portofino si trova .... circa quaranta chilometri .... Genova.

20. Collega i verbi ai sostantivi.

1. iscriversi
2. frequentare
3. sostenere
4. prendere
5. partire
6. mangiare

a. un esame
b. per una vacanza-studio
c. alla mensa
d. all'università
e. un corso
f. appunti

21. Scrivi il nome delle facoltà che preparano a svolgere le seguenti professioni.

1. Chirurgo ....
2. Ingegnere ....
3. Architetto ....

4. Avvocato ....
5. Dentista ....
6. Insegnante di storia ....

CD 1
6

22. a. Molti giovani non terminano gli studi. Un sociologo ha risposto ad alcune domande su questo argomento. Ascolta l'intervista e indica qual è l'affermazione corretta.

1. Gli studenti che lasciano gli studi sono soprattutto:
   a. i giovani fra i 14 e i 17 anni
   b. i giovani fra i 20 e i 22 anni
   c. i giovani fra i 19 e i 22 anni

2. Una delle cause principali di questo fenomeno è che:
   a. la famiglia non aiuta i ragazzi in questa difficile età
   b. la scuola non risponde alle necessità dei ragazzi in questa difficile età
   c. i giovani vedono troppa televisione

3. Secondo il sociologo, i giovani di oggi:
   a. si sentono soli e non capiti
   b. hanno meno problemi di un tempo
   c. ricevono troppe informazioni dalla TV, Internet ecc.

4. La scuola, gli insegnanti dovrebbero:
   a. considerare solo il risultato delle prove orali e scritte
   b. far lavorare di più gli studenti in classe
   c. capire i problemi reali degli studenti e aiutarli a essere più critici

b. Ascolta di nuovo l'intervista e, in base alle risposte che hai dato nell'esercizio precedente, collega le seguenti parole alla definizione corrispondente.

1. adolescente
2. disagio
3. solitudine
4. media

a. difficoltà, problema
b. la TV, i giornali, Internet e tutti i mezzi di informazione
c. giovane fra i 12 e i 18 anni
d. sensazione di chi si sente solo

Test finale

A **Completa il dialogo con i pronomi combinati e la desinenza del participio.**

- Ciao Giovanna!

- Ciao Lucia!

- Che bella questa collana! È un regalo?

- Sì, (1)........................... ha regalat..... Sergio per il nostro primo anniversario.

- Ah già, era il vostro anniversario! E tu, cosa gli hai regalato?

- Avevo visto un orologio molto bello in un negozio in centro e (2)........................... ho comprat......

- Brava!

- Sì, ma sapevo che a lui piaceva: (3)........................... aveva dett..... tante volte. E voi, avete idea di cosa regalarvi per il vostro anniversario?

- Non puoi immaginare cosa è successo! Il regalo più bello (4)........................... hanno fatt..... i miei genitori: ci hanno regalato una vacanza a Londra!

- Davvero? (5)........................... ho sempre dett..... che hai due genitori fantastici!

B **Scegli l'alternativa corretta.**

1. • (1)........................... che stasera facciamo una cena a casa mia? La solita compagnia.

   • No, non (2)............................ A che ora?

(1) a. Te l'ho detto	(2) a. ce lo dici
b. Gliel'ho detto	b. me l'avevi detto
c. Te l'hanno detto	c. te l'abbiamo detto

2. • Signora, (1)........................... io questa valigia così pesante?

   • Sì, grazie. Veramente... ne avrei un'altra. (2)...........................

(1) a. te la porto	(2) a. Gliele potrei dare?
b. gliela porto	b. Posso darla?
c. me la porto	c. Gliela posso dare?

3. • Amore, nel pomeriggio andiamo a vedere il nostro nuovo appartamento.

   • No! (1)........................... Sei sicuro?

   • Eh sì, è arrivato il momento.

   • (2)........................... Finalmente avremo una casa tutta nostra!

(1) a. Non ci credere!	(2) a. Chi l'avrebbe mai detto?!
b. Quando?	b. Allora?
c. Non è possibile!	c. Scherzi?! Quale?

4. Sono certo che Alessandra (1)........................... i soldi, se tu (2)........................... in modo gentile.

    (1) a. ce li presterà   (2) a. glieli chiederai

         b. ve le presterà   b. gliele chiederai

         c. ce li presterebbe   c. glieli avresti chiesti

5. ● (1)........................... vuoi andare a vedere l'ultimo film con Orlando Bloom?

    ● Ah, anche oggi pomeriggio! Non sai da (2)........................... tempo lo aspetto!

    (1) a. Che cosa   (2) a. quale

         b. Quando   b. che

         c. Chi   c. quanto

6. Luigi è al quinto anno di (1)..........................., dovrebbe (2)........................... l'anno prossimo.

    (1) a. Architetto   (2) a. lavorare

         b. Letteratura   b. laurearsi

         c. Medicina   c. iscriversi all'università

C Risolvi il cruciverba.

Orizzontali

1. È la lista degli argomenti da studiare per un esame.

3. Andiamo a ... per ascoltare il nostro insegnante e per imparare.

5. Quando finiamo la scuola superiore, possiamo iscriverci a una ... universitaria.

8. Alla fine della scuola media superiore facciamo l'esame di ...

9. Prima di frequentare un corso, in segreteria facciamo l'...

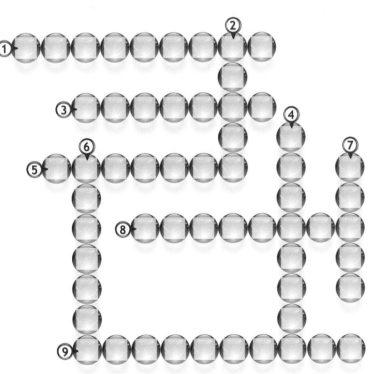

Verticali

2. Quando siamo in università, a pranzo andiamo alla ...

4. Di solito i libri sono suddivisi in diverse parti e ogni parte la chiamiamo ...

6. Durante la lezione, mentre il professore spiega, gli studenti prendono ...

7. Lo sosteniamo dopo avere studiato molto.

Risposte giuste  .... /26

Attività Video – episodio *Com'è andato l'esame?*

Per cominciare...

1 Guarda i primi 20 secondi dell'episodio: dove siamo? Cosa succede, secondo te?

2 Cosa succederà ora? In coppia, provate a fare un'ipotesi su come continuerà l'episodio.

Guardiamo

1 Guarda l'episodio per intero e verifica l'ipotesi fatta in precedenza.

2 Inoltre, guarda di nuovo l'episodio e prova a capire il significato delle seguenti parole.

bocciato   mattone   appello   secchiona   media

3 Da quello che hai potuto capire guardando l'episodio, qual è il massimo voto che uno studente in Italia può ottenere a un esame universitario?

Facciamo il punto

In coppia, completate con le parole mancanti.

Lorenzo! Allora, ...?

Indovina: ....
Per l'ennesima volta.

No! Arriva quella secchiona di Valeria! Sicuramente lei avrà preso un ....

1. Collega le frasi con l'immagine corrispondente e completa le frasi.

e. il pizzaiolo

a. l'orologio | **b.** avvocato | **c.** il telefono | **d.** il fruttivendolo

1. .... è un oggetto **che** serve per parlare con amici lontani.
2. .... è la persona **che** vende la frutta e la verdura.
3. .... è la persona **che** ha studiato giurisprudenza.
4. .... è quella persona **che** fa le pizze.
5. .... è un oggetto **che** porto per sapere che ora è.

f. le scarpe

6. Alla fine ho comprato .... **che** avevamo visto insieme in quella vetrina.

2. Trasforma la frase in blu, secondo il modello.

> Cinzia è una ragazza. Cinzia ha studiato in Italia.
> Cinzia è una ragazza che ha studiato in Italia.

1. Ho parlato con un'impiegata della banca. L'impiegata è stata molto gentile.

   Ho parlato con un'impiegata della banca ....

2. Ho aperto un conto in banca. Il conto offre molti vantaggi.

   Ho aperto un conto in banca ....

3. In banca mi hanno dato un bancomat. Userò il bancomat per fare acquisti.

   In banca mi hanno dato un bancomat ....

4. Con il bancomat posso fare operazioni via Internet. Le operazioni via Internet mi eviteranno le file in banca.

   Con il bancomat posso fare operazioni via Internet ....

5. Grazie al bancomat posso prelevare soldi dagli sportelli automatici. Gli sportelli automatici sono dappertutto.

   Grazie al bancomat posso prelevare soldi dagli sportelli automatici ....

6. Michele non vuole aprire un altro conto, perché ha già una carta di credito. Michele usa troppo la carta di credito.

   Michele non vuole aprire un altro conto, perché ha già una carta di credito ....

   ....

3. a. Completa le frasi con le parole del riquadro.

> che correva - che ho lasciato - che avevamo visto - che ha comprato
> che poi sarebbe diventata - che continuava

1. Tra gli invitati c'era anche la sorella di Mario, ... a parlare delle sue ultime vacanze.

2. Alla fine ho comprato quei pantaloni .... insieme in quel negozio.

3. A quella festa avevo conosciuto Silvana, ... una mia grande amica.

4. Gianni osservava dalla finestra il cane di quella signora .... per il giardino.

5. L'altro giorno abbiamo incontrato il figlio della vicina .... una casa al mare.

6. Per favore, prendi tu i libri .... sul tavolo?

b. Nelle frasi 1, 4 e 5 dell'esercizio precedente *che* può avere due significati. Modifica le frasi usando il quale, la quale ecc.

> 1. ....
> 4. ....
> 5. ....

4. Sostituisci i pronomi in blu secondo il modello.

> La storia di cui ti ho parlato è successa qualche anno fa.
> La storia della quale ti ho parlato è successa qualche anno fa.

1. La città in cui vivo è abbastanza tranquilla.

    .... vivo è abbastanza tranquilla.

2. La carta di credito con cui volevamo pagare non funzionava.

    .... volevamo pagare non funzionava.

3. I miei amici sono le uniche persone di cui mi fido.

    .... mi fido.

4. Giovanna è la persona su cui posso contare nei momenti difficili.

    .... posso contare nei momenti difficili.

5. Non posso veramente capire il motivo per cui vuoi cambiare lavoro!

    .... vuoi cambiare lavoro!

6. La persona a cui ho dato quella lettera è un mio collega.

    .... ho dato quella lettera è un mio collega.

5. Completa le frasi con i pronomi relativi del riquadro.

> a cui   con cui   su cui   da cui   in cui   per cui

1. L'aereo .... viaggiamo è dell'Alitalia.

2. Il professore .... prendo lezioni abita vicino a casa mia.

3. La casa .... abita Giovanni ha un giardino molto bello.

4. La rivista .... scrive Giulio è molto famosa.

5. Il turista .... ho dato delle informazioni era americano.

6. Gli amici .... sono uscito ieri sera sono molto simpatici.

6. Rispondi alle domande secondo il modello.

Chi è Marcella? (*Gianni esce con lei*)
È la ragazza con cui esce Gianni.

1. Chi è Giovanna? (*ho viaggiato con lei da Roma a Milano*)
È la ragazza ....

2. Chi sono Sergio e Matteo? (*di loro parla spesso mio fratello*)
Sono i ragazzi ....

3. Chi sono Federica e Monica? (*ho prestato a loro i miei appunti*)
Sono le ragazze ....

4. Chi è Adriano? (*ho dato a lui il mio biglietto della partita*)
È il ragazzo ....

5. Chi è Lorenzo? (*è interessante parlare con lui*)
È il ragazzo ....

6. Chi sono Tiziana e Carlo? (*esco ultimamente con loro*)
Sono i ragazzi ....

7. Unisci le frasi usando i relativi secondo il modello.

Sono tornato da un'isola – l'isola si trova vicino alla Spagna.
L'isola da cui sono tornato si trova vicino alla Spagna.

1. Hai messo il libro nello zaino – lo zaino è di Antonio.
Lo zaino ....

2. Il treno si è fermato mezz'ora in una città – la città è famosa per il suo prosciutto.
La città ....

3. Gianni esce con una ragazza – la ragazza si chiama Cristina.
La ragazza ....

4. Parlavamo prima di un ragazzo – il ragazzo è arrivato da poco.
Il ragazzo ....

5. Mario telefona tutte le sere a una ragazza – la ragazza si chiama Paola.
La ragazza ....

6. Andiamo spesso a mangiare in un ristorante – il ristorante si trova in centro.
Il ristorante ....

8. Completa le frasi con i pronomi relativi.

1. La città .... ho visitato questo fine settimana è ricca di monumenti.

2. Le persone .... verranno a cena sono le stesse .... ho viaggiato in aereo.

3. Salvatore e Rosalia sono i cugini .... vivono in Sicilia e .... passavo le vacanze quando ero piccolo.

4. Gli appunti .... cerchi sono sul tavolo .... ci sono anche i libri.

5. La casa .... abitiamo è un meraviglioso appartamento, ... abbiamo comprato dieci anni fa.

6. Grazie, hai trovato proprio le parole .... avevo bisogno!

9. Trasforma, dove possibile, le parti in blu delle frasi con il relativo dove, come nell'esempio. Consulta anche l'Approfondimento grammaticale.

Sono stato in un locale in cui suonano musica jazz.
Sono stato in un locale dove suonano musica jazz.

1. Sono stato in un ristorante in cui preparano ottimi primi piatti.

Sono stato .... ottimi primi piatti.

2. A me non piace il modo in cui cerchi di risolvere i tuoi problemi.

A me non piace .... di risolvere i tuoi problemi.

3. Federico è l'unica persona in cui ho fiducia.

Federico è l'unica persona ....

4. Andrò al mare in un posto in cui è possibile arrivare solo a piedi.

Andrò al mare .... arrivare solo a piedi.

5. Per Alessia questo è un periodo in cui tutto le va male.

Per Alessia questo è .... le va male.

6. Il 15 agosto è il giorno in cui ho conosciuto Fabio, l'amore della mia vita.

Il 15 agosto è .... Fabio, l'amore della mia vita.

7. Quella è la casa in cui è nato Giovanni Verga.

Quella è .... Giovanni Verga.

Giovanni Verga
(Catania, 1840-1922)

10. Collega le due frasi secondo il modello.

Amo un ragazzo – gli occhi del ragazzo sono verdi.
Amo un ragazzo i cui occhi sono verdi.

1. Ho conosciuto un ragazzo – il sogno del ragazzo è viaggiare per il mondo.

....

2. Ho aperto un conto corrente – i vantaggi del conto corrente sono molti.

....

3. Ivo e Daniel, – i genitori di Ivo e Daniel vivono a Rio de Janeiro, telefonano spesso in Brasile.

   ....

4. Ecco il professor Marini – le conferenze del professore Marini sono molto interessanti.

   ....

5. Ho visto un film – l'attrice protagonista di questo film è molto brava, ma non è conosciuta.

   ....

6. Leggo un romanzo – le autrici del romanzo sono francesi.

   ....

7. Ho rivisto un vecchio film – il titolo del vecchio film è *Poveri ma belli*.

   ....

8. Leggo spesso un blog – i post sono molto interessanti.

   ....

11. Completa le mail con i pronomi relativi.

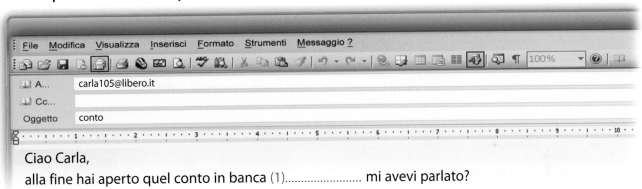

Ciao Carla,

alla fine hai aperto quel conto in banca (1)......................... mi avevi parlato?

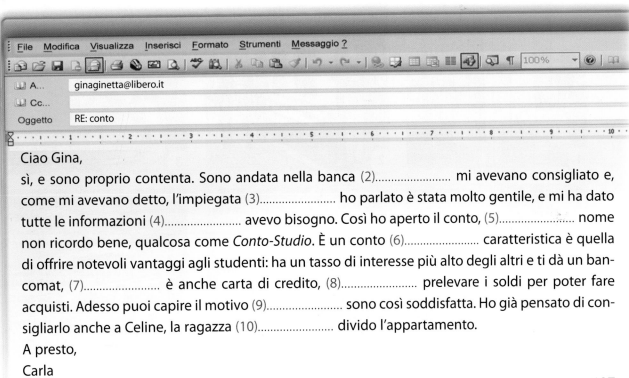

Ciao Gina,

sì, e sono proprio contenta. Sono andata nella banca (2)......................... mi avevano consigliato e, come mi avevano detto, l'impiegata (3)......................... ho parlato è stata molto gentile, e mi ha dato tutte le informazioni (4)......................... avevo bisogno. Così ho aperto il conto, (5)......................... nome non ricordo bene, qualcosa come *Conto-Studio*. È un conto (6)......................... caratteristica è quella di offrire notevoli vantaggi agli studenti: ha un tasso di interesse più alto degli altri e ti dà un bancomat, (7)......................... è anche carta di credito, (8)......................... prelevare i soldi per poter fare acquisti. Adesso puoi capire il motivo (9)......................... sono così soddisfatta. Ho già pensato di consigliarlo anche a Celine, la ragazza (10)......................... divido l'appartamento.

A presto,

Carla

12. Completa i seguenti proverbi con che o chi.

1. Non svegliare il can .... dorme.
2. .... dorme non piglia pesci.
3. .... fa da sé fa per tre.
4. .... lascia la vecchia via per quella nuova, sa quello .... lascia, ma non sa quello .... trova.
5. .... trova un amico trova un tesoro.
6. Natale con i tuoi, Pasqua con .... vuoi.

13. Completa le frasi scegliendo l'espressione adeguata.

> tutti coloro che - chi - coloro che - il che - quelli che - quello che

1. Ricordati sempre di .... ti hanno aiutato!
2. Non sono d'accordo con .... dici, io ho un'altra opinione.
3. Brunella sa il fatto suo, oltre ad essere simpatica, è anche molto brava e intelligente, ... fa di lei un bravo avvocato!
4. Oggi al supermercato fanno lo sconto del 10% a .... faranno la spesa prima di mezzogiorno.
5. Beato .... ha vinto il primo premio! È stato proprio fortunato.
6. Molti amici, di .... ho invitato, mi hanno detto che non possono venire.

14. Osserva le vignette e completa le frasi che seguono con le espressioni stare + gerundio o stare per + infinito.

1. (Fare) .... la doccia, per questo non ho sentito il telefono.

2. Tiziano devi scendere, il treno (partire) ....

3. Perché hai quella faccia, Stefania? A cosa (pensare) ....?

4. ● Pronto, Roberto, sei arrivato a casa?

   ● Ah, ciao Franco, ti (telefonare) .... io. Il tassì mi ha appena lasciato sul portone.

5. ● Giulia, cosa fai? Usciamo?

   ● No, grazie! (Guardare) .... un film e voglio vedere come va a finire.

6. Ero certo che (finire) ...., per questo ho deciso di aspettarti fuori dall'ufficio. Non credevo di dover stare qui per più di un'ora.

15. Completa gli spazi in rosso con i pronomi relativi e gli spazi in blu con un pronome combinato.

1. Il libro, (a lei - il libro) .... ho dato a quella ragazza .... parlavo ieri.

2. Questa storia, (a me - la storia) .... ha raccontata Laura, una ragazza .... ho piena fiducia.

3. Luca, (a noi - i quadri) .... mostri i tuoi quadri .... saranno esposti alla Galleria d'Arte Moderna?

4. (A te - la ragione) .... ho detta la ragione .... non voglio più restare qui.

5. Ragazzi, (a voi - il dizionario) .... presto io il dizionario .... avete bisogno.

16. Completa con le preposizioni.

1. Gli italiani, generalmente, vanno .... vacanza .... agosto.

2. .... il suo compleanno regalerò .... mia figlia un anello .... oro.

3. È .... un anno che studio l'italiano e ora ho iniziato anche .... leggere libri.

4. Mi sono sposata .... 18 anni e ho due figlie, una .... 15 e un'altra .... 19 anni.

5. Quello che ti ho detto deve assolutamente rimanere .... noi, mi devi promettere che non dirai niente .... nessuno!

6. Non ti preoccupare, sarò sotto casa tua prima .... otto, ma se per caso farò tardi, aspettami .... fermata .... 15.

7. Sono rimasto .... ufficio tutta la giornata e adesso non vedo l'ora .... tornare .... casa.

8. Credi di più .... me o .... quello che dicono i tuoi amici?

17. Completa le seguenti frasi scegliendo la soluzione corretta fra le quattro proposte.

1. Non ho capito bene cosa ha detto .... c'era molto rumore.

   ▢ perciò ▢ quando ▢ siccome ▢ perché

2. .... pioveva, sono rimasto a casa e ho visto un film.

   ▢ così ▢ perché ▢ finché ▢ siccome

3. Non avevo studiato molto, ... ho preferito non dare l'esame.

   ▢ oppure ▢ ma ▢ perciò ▢ nonostante

4. Vorrei sapere .... trova il tempo di fare tutto!

   ▢ ma ▢ allora ▢ o ▢ dove

5. Ha sempre avuto tutto dalla vita, ... non è mai contento.

   ▢ oppure ▢ però ▢ perché ▢ finché

6. .... è già tardi e tutti iniziamo ad avere fame, io direi di andare a mangiare qualcosa al bar.

   ▢ quindi ▢ poiché ▢ perché ▢ così

18. Collega i verbi della prima colonna alle espressioni della seconda colonna.

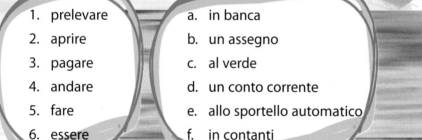

1. prelevare   a. in banca
2. aprire   b. un assegno
3. pagare   c. al verde
4. andare   d. un conto corrente
5. fare   e. allo sportello automatico
6. essere   f. in contanti

19. Federico Blasi ha inviato una mail alla *Starcom Italia*, un'azienda di telecomunicazioni che cerca un nuovo direttore del personale. Leggi e completa la mail, scegliendo la soluzione corretta fra le tre proposte.

A...	starcom.uff.personale@libero.it
Cc...	
Oggetto	invio C.V.

Uff. Personale
STARCOM ITALIA
Via Calatafimi, 341 - Milano

Milano, 12 settembre

In riferimento al vostro annuncio apparso sul sito web *cerco-lavoro.com* il 9 settembre scorso, invio alla vostra cortese (1)........................ il mio C.V.

Come potrete vedere, sono in possesso delle competenze e dei requisiti da Voi (2)........................: mi sono laureato in Economia e Commercio a pieni voti, presso la Normale di Pisa, e ho conseguito il master (3)........................ Organizzazione aziendale, presso l'Università Bocconi di Milano. Ho (4)........................ circa un anno alla Princeton University, negli Stati Uniti. Questa importante esperienza mi ha dato anche l'opportunità di perfezionare la mia (5)........................ dell'inglese. Ho inoltre delle ottime conoscenze (6).........................

Anche se non ho una grande esperienza (7)........................, il mio primo lavoro l'ho avuto due anni fa, come Responsabile del personale, (8)........................ la *Interdata* di Milano, un'azienda che si occupa (9)........................ trasporti e dove lavoro ancora oggi a tempo pieno. Ho deciso di rispondere al Vostro annuncio, perché il mio desiderio sarebbe quello di ricoprire un posto di responsabilità in un'azienda (10)........................ e di grandi dimensioni come la *Starcom Italia*, (11)........................ poter dimostrare la mia preparazione e metterla a vostra disposizione.

(12)........................ saluti.

Federico Blasi
Via G. Bruno, 156 - Milano

1. a. attenzione
   b. fiducia
   c. curiosità
	4. a. trascorso
	   b. letto
	   c. collaborato
		7. a. professionista
		   b. universitaria
		   c. lavorativa
			10. a. sconosciuta
			   b. importante
			   c. locale

2. a. domandati
   b. voluti
   c. richiesti
	5. a. cultura
	   b. conversazione
	   c. conoscenza
		8. a. presso
		   b. in
		   c. da
			11. a. tra cui
			   b. per cui
			   c. in cui

3. a. con
   b. per
   c. in
	6. a. informative
	   b. informatiche
	   c. informali
		9. a. da
		   b. con
		   c. di
			12. a. Buoni
			   b. Cordiali
			   c. Gentili

CD 1

20. Leggi le affermazioni che seguono e dopo ascolta l'intervista a un impiegato di banca. Indica le cinque informazioni presenti.

1. La persona intervistata darà informazioni su come aprire un conto.

2. Il sito web della banca fornisce informazioni in quattro lingue.

3. Prima di firmare un contratto è sempre bene leggere le condizioni.

4. La banca offre molti servizi di diverso genere.

5. Tra i servizi ci sono i finanziamenti per l'acquisto di una casa.

6. I clienti non amano molto usare i servizi online della banca.

7. Esistono carte di credito prepagate.

8. La banca offre servizi specifici per studenti stranieri.

Test finale

A Completa il testo con i pronomi relativi.

Mauro e i "mammoni" italiani

Questa è la storia di Mauro, un ragazzo (1)........................ cerca un lavoro sicuro da anni, come molti altri giovani italiani della sua età. Mauro ha 34 anni, (2)........................ 10 li ha passati a fare lavori precari, cioè non stabili, e senza contratto. Naturalmente, il lavoro (3)........................ lui preferirebbe fare è l'architetto, professione (4)........................ ha studiato molto, ma purtroppo è un campo (5)........................ è difficile entrare, soprattutto per (6)........................, come Mauro, è ancora considerato "giovane". Un altro problema dell'Italia, infatti, è che sono considerati "giovani" tutti (7)........................ hanno fino a 30-35 anni e sono molti i 35enni (8)........................ vivono ancora con i genitori, condizione (9)........................ si trovano spesso proprio per la mancanza di un lavoro fisso e la possibilità di pagare l'affitto. È per questo che in Europa gli italiani sono famosi per essere "mammoni", cioè ragazzi (10)........................ vivono ancora sotto la "protezione" della mamma.

B Completa le frasi con i relativi nel riquadro.

la quale - il che - quello che - coloro che - chi - in cui

1. Giulia non dice mai .... pensa.

2. Chi cerca, trova. .... è quasi sempre vero.

3. .... fa per sé, fa per tre.

4. .... hanno deciso di dare l'esame devono iscriversi in segreteria.

5. La banca .... sono andato è in centro.

6. Mamma, c'è al telefono la zia di Sandro, ... aveva telefonato anche ieri.

C Scegli l'alternativa corretta.

1. ● Ho comprato un vestito nuovo (1)........................ desideravo da tempo.

    ● Non capisco il motivo (2)........................ continui a spendere metà del tuo stipendio in vestiti.

    (1) a) la quale   (2) a) per cui

        b) cui   b) su cui

        c) che   c) che

2. ● "(1)........................ dorme non piglia pesci", lo sai?!

    ● Sì, ma la cosa (2)........................ ho più bisogno adesso è dormire!

    (1) a) Chi   (2) a) con cui

        b) Colui   b) il che

        c) Su cui   c) di cui

3. "Gianni si è comportato male con me: (1)......................... non mi sembra giusto", diceva Mario a

    (2)......................... gli chiedevano spiegazioni sul suo comportamento.

    (1) a) il che   (2) a) chi

        b) il cui   b) tutti coloro che

        c) di cui   c) i cui

4. (1)......................... signor Carletti.

    (2) Le porgiamo .... saluti.

    (1) a) Egregio   (2) a) cordialmente

        b) Spettabile   b) cordiali

        c) Cordiale   c) tanti

5. La (1)......................... è la più grande industria di automobili italiana e la sua sede centrale è a

    (2).........................

    (1) a) Generali   (2) a) Maranello

        b) Fiat   b) Milano

        c) Telecom Italia   c) Torino

6. Il (1)......................... di questa lettera è il (2)......................... del personale.

    (1) a) destinatario   (2) a) regista

        b) destinato   b) conduttore

        c) saluto   c) direttore

D   Risolvi il cruciverba.

ORIZZONTALI

1. Lavora nella cucina di un ristorante.

4. - In bocca al ...! - Crepi!

6. In chiusura di una mail formale, scriviamo: ... saluti.

7. Chi trova un amico, trova un ...

VERTICALI

1. Stefano paga sempre con la carta di ...

2. Valentina, come è andato il ... di lavoro che avevi ieri?

3. Quando cerchiamo lavoro, inviamo il nostro ... vitae.

5. Donna che insegna ai bambini della scuola elementare.

Risposte giuste .... /36

113

Attività Video – episodio *Lorenzo cerca lavoro*

Per cominciare...

1 Guarda i primi 35 secondi dell'episodio senza l'audio. Che cosa succede, secondo te? Puoi descrivere la situazione utilizzando soltanto tre delle seguenti parole, che abbiamo visto anche a pagina 23 del *Libro dello studente*.

contanti   assegno   carta di credito   sportello bancomat   prelevare

2 Ora guarda da 0'35'' fino a 2'02'' con l'audio. Cosa pensi succederà in seguito? Lorenzo troverà il lavoro che cerca? In coppia, formulate due ipotesi (una negativa e l'altra positiva), motivandole.

Guardiamo

1 Ora guarda interamente l'episodio e verifica le ipotesi fatte in precedenza.

2 Metti in ordine cronologico le immagini.

Facciamo il punto

1 Fai un breve riassunto dell'episodio, oralmente o per iscritto (max. 60 parole).

2 Cosa significano le espressioni evidenziate? Scegli l'opzione giusta tra quelle date.

Cerchiamo un altro sportello, tanto qui è pieno di banche.

Non ti arrendere subito! Chi la dura la vince!

Significa:

a. se
b. del resto
c. però

Significa:

a. Chi è bravo otterrà ciò che merita.
b. Chi è duro vince ogni ostacolo.
c. Chi insiste ottiene ciò che vuole.

1. **Completa le seguenti frasi con la forma giusta di farcela o andarsene.**

1. Mamma, papà... finalmente ....: ho avuto quel posto di lavoro!

2. Se non ...., ti posso dare una mano.

3. Perché ieri sera Claudia .... senza salutare nessuno?

4. L'esame non è così difficile, sono sicuro che puoi ....!

5. Verremo sicuramente, ma .... presto.

6. Se quei ragazzi non .... subito, chiamo la polizia!

2. **Osserva le immagini e indica la frase corretta.**

1. ☐ a. Italo è più veloce dell'Espresso.
   ☐ b. Italo è meno veloce dell'Espresso.
   ☐ c. Italo è veloce come l'Espresso.

2. ☐ a. Roma è più caotica di Napoli.
   ☐ b. Roma è caotica come Napoli.
   ☐ c. Roma è meno caotica di Napoli.

3. ☐ a. La gonna è cara quanto la maglietta.
   ☐ b. La gonna è meno cara della maglietta.
   ☐ c. La gonna è più cara della maglietta.

4. ☐ a. Francesca è più allegra di Marta.
   ☐ b. Francesca è allegra come Marta.
   ☐ c. Francesca è meno allegra di Marta.

5. ☐ a. Gabriella è più grande di Fabrizio.
   ☐ b. Gabriella è grande come Fabrizio.
   ☐ c. Gabriella è meno grande di Fabrizio.

6. ☐ a. Il cavallo è più pesante del cane.
   ☐ b. Il cavallo è pesante come il cane.
   ☐ c. Il cavallo è meno pesante del cane.

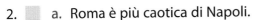
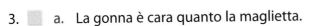
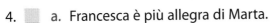

3. Formula delle frasi secondo il modello.

Stefano - alto - Giorgio	(**+**) Stefano è più alto di Giorgio. (**=**) Stefano è (tanto) alto quanto Giorgio. (**–**) Stefano è meno alto di Giorgio.

1. Questo quadro - bello - quello

(=) ....

(+) ....

2. L'italiano - difficile - tedesco

(+) ....

(–) ....

3. Flavia - simpatica - Monica

(=) ....

(–) ....

4. Giovanni - grande - Angelo

(–) ....

(+) ....

5. Milano - frenetica - Roma

(+) ....

(=) ....

6. Quando giocano a carte,
    Pierluigi - fortunato - Aldo

(–) ....

(=) ....

4. Osserva le immagini e scrivi delle frasi usando i comparativi e gli aggettivi indicati (gli aggettivi sono a coppie di contrari).

Maria — Raffaele — Torino — Agrigento — Chiara — Mario — fontana di Trevi — signor Sella — signor Perti — fontana della Barcaccia — bicicletta — Vespa

1. alto: ....

   basso: ....

2. simpatica: ....

   antipatica: ....

3. fredda: ....

   calda: ....

4. ricco: ....

   povero: ....

5. piccola: ....

   grande: ....

6. veloce: ....

   lenta: ....

5. Formula delle comparazioni con gli aggettivi o i verbi dati.

costosa	piccola	prezioso	chiacchierano	puliti	legge

1. Roma – Siena

   Roma ....

2. Fiat – Ferrari

   Una Fiat ....

3. Alice (19 libri) – Marcello (13 libri)

   Alice ....

4. cani – gatti

   I cani ....

5. oro – argento

   L'oro ....

6. italiani – giapponesi

   Gli italiani ....

8.000 euro
165.000 euro

6. Completa i mini dialoghi con le forme di comparazione.

1. ● Secondo me, domenica vincerà l'Inter!

   ● Non è vero: quest'anno la Roma è .... forte .... Inter.

   ● Secondo me, la Roma è .... fortunata .... forte.

2. ● Patrizia è veramente una ragazza timida!

   ● È vero, ma dovresti conoscere la sorella: è ancora .... timida .... lei.

   ● Sì, l'ho conosciuta, ma .... timida mi sembra un po' riservata.

3. • L'aereo sarà anche .... veloce .... treno, ma io ho paura.

   • Allora usa la macchina!

   • No, perché è .... cara .... treno.

4. • Come va il tuo negozio di scarpe? Avete venduto molto?

   • Sì, quest'anno abbiamo venduto molte .... scarpe .... anno scorso. In particolare vendiamo .... scarpe da donna .... da uomo.

5. • Giacomo è un ragazzo in gamba!

   • Secondo me, suo fratello Riccardo è .... intelligente .... Giacomo.

   • No, per me è .... furbo .... intelligente.

6. • Hai visto la nuova casa di Remo? È molto bella.

   • Mah, ... bella è molto caratteristica: ha uno stile particolare.

7. Completa le frasi secondo il modello.

Scrivi molte e-mail ai tuoi amici?
Mi piace *più* telefonare *che* scrivere.

1. Rita preferisce leggere o guardare la televisione?
Rita lavora tanto, perciò la sera ha voglia .... di guardare la televisione .... di leggere.

2. Dove fa più freddo, al Sud o al Nord?
Al Sud fa .... freddo .... al Nord.

3. Bevi più caffè o tè?
Quando lavoro, bevo .... caffè .... tè.

4. Oggi è facile trovare un lavoro?
Veramente, oggi è .... difficile trovare un buon lavoro .... in passato.

5. Perché non vai mai a teatro?
.... andare a teatro, amo andare al cinema.

6. Anche da voi in estate non deve essere piacevole rimanere in città.
Certo in estate andare al mare è sicuramente .... piacevole .... restare in città.

8. Rispondi liberamente alle domande.

1. Quando entri in un bar per fare colazione, prendi più spesso un caffè o un cappuccino?
Io ....

2. Ti piacciono di più le vacanze al mare o in montagna?
Mi piacciono ....

3. Per te è più bella la campagna o la città?
Secondo me, ...

4. La tua città è più vivace o più caotica?

    Per me ....

5. Preferisci viaggiare in treno o in aereo?

    Più che...

6. Mangi più verdura o più carne?

    Io mangio ....

9. Trasforma le frasi secondo il modello.

Delle scarpe belle - comode.
Delle scarpe tanto belle quanto comode.
Delle scarpe più belle che comode.

1. Un ragazzo furbo - presuntuoso.

    Un ragazzo ....
    Un ragazzo ....

2. Un film interessante - divertente.

    Un film ....
    Un film ....

3. Un viaggio piacevole - stancante.

    Un viaggio ....
    Un viaggio ....

4. Una città moderna - sicura.

    Una città ....
    Una città ....

5. Una moto veloce - rumorosa.

    Una moto ....
    Una moto ....

6. Un gita divertente - faticosa

    Una gita ....
    Una gita ....

10. Metti in ordine le frasi.

1. In Italia, / in periferia. / più / gli appartamenti / che / sono / cari / in centro

    ....

2. A Stefano / che / il Sud / più / piace / il Nord Italia.

    ....

3. Quest'ultimo / del / libro / Umberto Eco / precedente. / è / più / bello / di

    ....

Torino, Piemonte

4. A me / la chitarra / cantare. / più / piace / suonare / che

....

5. Maria Teresa / italiana / torinese. / si sente / che / più

....

6. In estate, / e fare il bagno / più / ai ragazzi / piace / andare / andare / al mare / in montagna. / che

....

11. Osserva la tabella e scrivi delle frasi, secondo il modello.

	Lavoro (occupazione giovani 25-34 anni)	Numero di laureati (giovani 25-30 anni)	Numero spettacoli per 1000 abitanti	Bar e ristoranti per 100mila abitanti	Temperatura minima in inverno
Firenze	79,90%	7%	8.423	442,20	1°
Milano	81,80%	5,3%	5.312,8	338,25	-2°
Napoli	41,30%	4,1%	3.126,9	339,68	4°
Roma	71,80%	8,2%	7.013,5	507,60	3°
Venezia	77,50%	6,2%	7.705,5	575,38	-1°

Adattata da *www.ilsole24ore.com*

(Roma-Napoli; temperatura bassa)

La temperatura è più bassa a **Roma** che a Napoli.

oppure

A **Roma** la temperatura è più bassa che a Napoli.

1. (Milano - Venezia; lavoro)

....

2. (Roma - Firenze; numero dei laureati alto)

....

3. (Firenze - Milano; spettacoli)

....

4. (Milano - Roma; bar)

....

5. (Napoli - Firenze; giovani laureati)

....

6. (Venezia - Napoli; freddo)

....

12. Completa secondo il modello

Carlo/simpatico/miei amici.
Carlo è il più simpatico dei miei amici.

1. Questa qui/importante trasmissione/RAI.

   Questa qui è ....

2. Quest'esame di Fisica/difficile/ anno accademico.

   Quest'esame di Fisica è ....

3. Febbraio/mese/corto/anno.

   Febbraio è ....

4. Questa/estate/calda/ultimi vent'anni.

   Quest'estate è ....

5. La Sicilia/isola/grande/Italia.

   La Sicilia è ....

6. Marta/piccola/mie figlie.

   Marta è ....

7. Milano/città/frenetica/Nord Italia.

   Secondo me, Milano è ....

8. La Scala/teatro/famoso/mondo

   La Scala è ....

13. Completa il testo con il superlativo relativo.

Cosa consumano gli italiani durante le fermate agli Autogrill in autostrada.

Bastano pochi minuti all'Autogrill dell'autostrada per capire cosa preferiscono gli italiani: (1)........................ panino .... amato dagli italiani è la "Rustichella". Dopo la rustichella, anche un caffè, un libro o anche un cd. Sono questi (2)........................ prodotti .... comprati in autostrada quando, in partenza per le vacanze di agosto, gli automobilisti si fermano in uno dei punti vendita della rete Autogrill.

(3)........................ prodotto .... richiesto è il caffè con circa 9,6 milioni di tazzine. Seguono in classifica i panini: (4)........................ mangiato è la "Rustichella".

Nel mese di agosto, poi, gli italiani comprano più di duecentomila copie di libri (tra (5)........................ .... autori .... ricercati ci sono Andrea Camilleri e Carlo Lucarelli) e centosessantamila cd ((6)........................ cantanti .... amati: Vasco Rossi e Shakira, ma anche Radio 105 e Gigi D'Alessio).

Adattato da *www.corriere.it*

14. Completa queste opinioni su alcuni alberghi con il superlativo assoluto delle parole nel riquadro.

bello buono caro centrale male molto piccolo tranquillo

ALBERGO REALE

L'hotel, per quello che offre, è (1)........................ È lontano dalla spiaggia, le camere sono (2)................ .... e al ristorante è meglio non andarci. Noi ci siamo trovati (3)............... ....

HOTEL ACQUA E SOLE

L'hotel è (4)........................ C'è anche la doccia con idromassaggio e la sauna a qualsiasi ora del giorno. Il cibo è (5)........................

ALBERGO IL DUOMO

Hotel (6)........................, si trova esattamente in Piazza Duomo. È moderno e offre (7)...................... .... servizi. Unico difetto, proprio per la sua posizione: non è (8).......... ....

15. Forma delle frasi con il superlativo assoluto e il superlativo relativo, secondo il modello.

Carlo / timido / classe.
Carlo è *timidissimo*, ma non è *il più* timido *della* classe.

1. Quadro / prezioso / museo. ....
2. Camera / grande / albergo. ....
3. Esercizio di matematica / difficile / libro. ....
4. Vino / buono / ristorante. ....
5. Hotel / caro / zona. ....
6. Studente / bravo / scuola. ....

16. In base alle informazioni date, scrivi due frasi scegliendo tra le forme di comparazione (maggioranza, minoranza, uguaglianza) e una frase scegliendo tra il superlativo relativo e il superlativo assoluto.

1. Monti - alto

Monte Cervino: m. 4.478   Monte Rosa: m. 4.634   Monte Everest: m. 8.848

....

....

2. Città - abitanti

| Roma: 2.750.000 | Napoli: 960.000 | Tokyo: 13.000.000 |

....
....

3. Università - antico

| Università di Bologna: 1088 | Università di Parigi: 1150 | Università di Oxford: 1096 |

....
....

4. Fiumi - lungo

| Nilo: 6.671 Km | Gange: 2.700 Km | Po: 652 Km |

....
....

5. Animali - grande

| elefante | cavallo | cane |

....
....

6. Mezzi di trasporto - veloce

| automobile | bicicletta | aereo |

....
....

17. Completa con i superlativi irregolari dati.

massima • massimo • ottima • pessimo • pessima • minima

1. A tennis, hai perso la partita perché non hai dato il ....

2. Non sono contento per niente; abbiamo pagato tanto e il servizio era ....

3. Questo è un caso che richiede la .... attenzione!

4. Il mio appartamento è vicino, da qui all'università la distanza è
....

5. Non dovresti rinunciare a questo lavoro, è davvero un'.................
.... occasione per te!

6. Direi che siamo riusciti a ottenere il meglio da una situazione
....

18. Completa le frasi con i comparativi irregolari dei seguenti aggettivi. Attenzione: gli aggettivi non sono in ordine.

> alto • basso • buono • cattivo • grande • piccolo

1. Quest'anno abbiamo avuto un inverno caldo; infatti la temperatura è stata .... agli altri anni.

2. Io al posto tuo, comprerei questa camicia, l'altra costa meno ma è di qualità ....

3. Questo è Carlo, mio fratello ....: ha 2 anni più di me.

4. Lei è Sara, mia sorella ...., la piccola di casa, ha compiuto ieri 6 anni.

5. La nostra casa ha tre piani: io abito all'ultimo, al piano .... i miei genitori e al primo ci abita mia sorella.

6. - Ragazzi è buona questa pizza? - Sì, ma quella che abbiamo mangiato a Napoli era ....

19. Completa con le preposizioni semplici o articolate negli spazi in nero e con i termini dati negli spazi in blu.

> servizi - camera - prenotazione - alloggio - meta - pernottare

Quando io e Carlo abbiamo deciso (1)............................ fare un viaggio, abbiamo scelto come

(2)............................ la città di Siena. Abbiamo cercato un bed and breakfast perché avevamo

(3)............................ noi Ercole, il nostro cane, e perché non avevamo bisogno di particolari

(4)............................. Tuttavia, la nostra esperienza (5)...........

.... Villa Fiore è stata un vero e proprio incubo. Io

e il mio ragazzo avevamo chiamato per prenotare una

(6)............................ per una notte e la nostra prenota-

zione ci è stata confermata senza problemi.

Quando però siamo arrivati (7)............................ bed and

breakfast, in modo scortese ci hanno detto che la nostra

prenotazione non c'era e che l'unica soluzione era quella di (8)................................ in un locale

vicino (9)............................ giardino. (10)..............................., che si è poi rivelato non adatto ad

ospitare persone, era infatti sporco, umido e pieno di animaletti.

Cari proprietari, non si affittano stanze se queste non sono più disponibili e non si prendono

in giro i clienti! Inoltre, al momento della (11)................................ telefonica, ci è stato detto che

la colazione era inclusa (12)............................ prezzo, ma quando siamo arrivati, invece, in tono

sempre poco carino, ci hanno detto che la colazione avremmo potuto farla al bar di fronte

(13)............................ bed and breakfast. Quello che ci dispiace è che questa brutta esperienza

sarà sempre associata (14)............................ ricordo di una città da me considerata meravigliosa

e (15)............................ atteggiamento di alcune persone poco oneste che ci abitano.

20. Collega le frasi in modo corretto.

1.	Vorrei prenotare	a.	ci sono problemi?
2.	Può dirmi, per favore,	b.	per non fumatori.
3.	La camera ha	c.	un letto extra per il bambino?
4.	Ho un piccolo cane,	d.	una camera matrimoniale.
5.	Vorrei due camere	e.	il prezzo per due notti?
6.	È possibile aggiungere	f.	il minibar?

CD 1

(14)

21. Ascolta l'intervista al proprietario di un albergo e completa con le parole mancanti (massimo quattro).

1. Decisamente il periodo estivo...; ci sono poi clienti .... che vengono nella nostra città praticamente tutto l'anno.

2. Negli ultimi anni abbiamo avuto ...., sì.

3. Tra l'altro sono molto molto contento dei miei collaboratori, ..., molto professionali.

4. Inoltre, abbiamo .... privato, e poi abbiamo ovviamente le biciclette a disposizione...

5. ... la cucina... permette un po' di gustare ....
.... della nostra regione.

6. ...sia a pranzo che a cena tutti i giorni c'è menù a scelta
...., buffet con verdure fresche.

Test finale

A   Alcune di queste frasi sono sbagliate: riscrivile correttamente.

1. Per me è più importante parlare di scrivere in una lingua straniera.

   ....

2. Giorgio è il più alto tra la sua classe.

   ....

3. Giovanna è una ragazza tanto bella quanto simpatica.

   ....

4. Una villa è la più costosa di un semplice appartamento.

   ....

5. La mia casa è la più nuova della tua.

   ....

6. Scusami, ma non ho potuto trovare una sistemazione migliore.

   ....

B **a) Leggi la brochure e completala con i nomi dei luoghi o dei monumenti che ti diamo qui alla rinfusa (San Pietro - Asinelli - Vesuvio - Colosseo - Maggiore).**

AGENZIA EASYTOUR DI FIRENZE
OFFERTE PER LE VACANZE DI PASQUA:
prenotate all'ultimo minuto!

1. Roma - Napoli in pullman (4 GIORNI, 3 NOTTI)
Partenza: da Firenze

Primo giorno
Roma antica: il Foro romano e il (1)..........................; le catacombe sulla Via Appia.

Secondo giorno
Le Piazze di Roma: Piazza di Spagna, la Fontana di Trevi, Piazza Navona, il Campidoglio.
Pomeriggio: Piazza (2).......................... e il Vaticano.

Terzo giorno
I monumenti di Napoli: Teatro San Carlo, il Maschio Angioino, il centro storico.

Quarto giorno
Dintorni di Napoli: gita sul vulcano (3)..........................,
Pompei ed Ercolano.
A partire da 400 € a persona.

2. Una domenica tra i sapori e i colori di Bologna

Mattina - I colori
Il centro storico di Bologna, la Torre della Garisenda e degli (4).......................... La cattedrale di S. Petronio, Piazza (5).......................... e Piazza del Nettuno.

Pomeriggio - I sapori
Assaggi di formaggi, salumi e degustazione dei migliori vini.
50 € a persona.

3. Palermo, capitale del Mediterraneo (2 GIORNI, 2 NOTTI) - Volo da Milano o Roma

Primo giorno
La Palermo araba e normanna: il centro storico, la chiesa di S. Giovanni degli Eremiti, la Torre Pisana.

Secondo giorno
La Palermo barocca: le chiese e i palazzi del centro. Visita di Monreale.
320 € a persona.

b) Scegli la risposta corretta.

1. Mi interessano le offerte dell'agenzia *Easytour* se voglio organizzare:

   a) la vacanza almeno tre mesi prima
   b) delle vacanze per l'ultimo dell'anno
   c) la vacanza all'ultimo momento

2. Se mi interessa la gastronomia, scelgo la gita:

   a) a Roma
   b) a Bologna
   c) a Palermo

3. Se ho paura dell'aereo, non scelgo sicuramente la vacanza:

   a) a Roma
   b) a Bologna
   c) a Palermo

C **Scegli l'alternativa corretta.**

1. Per il nostro giardino, la pioggia è (1).......................... utile (2).......................... sole.

   (1) a) quanto
      b) come
      c) tanto

   (2) a) così il
      b) quanto il
      c) del

2. Tutti dicono che Laura è una ragazza (1)........................., ma secondo me è più dolce

   (2)........................ simpatica.

   (1) a) più simpatica   (2) a) di

       b) simpaticissima   b) della

       c) più simpaticissima   c) che

3. Io ho un debito (1)........................ del tuo, ma pago un tasso d'interesse (2)..........................

   (1) a) più maggiore   (2) a) più basso

       b) maggiore   b) più inferiore

       c) il più grande   c) più pessimo

4. Sono certo che (1)........................, sarai (2)........................!

   (1) a) te la farai   (2) a) il migliore

       b) ce la farai   b) il meglio

       c) ce ne farai   c) il bravo

5. Carmelo Conti, un pizzaiolo italiano, molti anni fa (1)........................ a lavorare in America. Ora è

   diventato famoso perché ha fatto una pizza di 250 m², (2)........................ mondo.

   (1) a) se ne andava   (2) a) la superiore del

       b) se ne è andata   b) la massima del

       c) se ne è andato   c) la più grande del

Risposte giuste (........ /24)

Attività Video - episodio *Finalmente a Roma!*

Per cominciare...

Osserva alcune scene tratte dall'episodio e in coppia cercate di metterle in ordine. Puoi prevedere cosa succede in questo episodio? In coppia, fate due ipotesi.

Guardiamo

1 Guarda l'episodio e verifica le ipotesi fatte.

2 Di seguito trovi i simboli di alcuni servizi alberghieri riportati anche a pagina 45 del *Libro dello studente*. Di quali si parla durante l'episodio?

Facciamo il punto

Leggi le battute e trova le parole evidenziate che hanno lo stesso significato di quelle date.

esattamente   problema   iniziamo   nel frattempo

1 Comunque, godiamoci Roma! Allora, da dove cominciamo?

2 Ce n'è uno che porta proprio in Piazza Venezia.

3 Senta possiamo almeno lasciare i bagagli qui e andare a fare un giro intanto?

4 Arrivederci e scusate per l'inconveniente.

1° test di ricapitolazione (unità 1, 2 e 3)

A **Rispondi alle seguenti domande.**

1. • Hai portato i libri a Maria?

   • Sì, ... due giorni fa.

2. • Quando vi hanno consegnato la macchina?

   • Non .... ancora.

3. • C'è una birra?

   • Nel frigo .... deve essere una ghiacciata, proprio come piace a te.

4. • Quando ci farai sapere se verrai anche tu a Pisa?

   • .... farò sapere entro domani.

5. • Ti è piaciuta la torta?

   • Sì, puoi dar... un altro pezzo?

6. • Professore, nei nostri compiti ci sono molti errori?

   • Beh, ... abbastanza, ma pazienza: sbagliando, s'impara.

   .... /6

B **Completa con gli interrogativi adatti.**

1. .... farai adesso che tua moglie è partita?

2. .... volte devo dirtelo? Non voglio parlare più con lui!

3. Fra questi vestiti .... ti sembra più alla moda?

4. .... soldi hai con te?

5. A .... punto siete?

6. Per .... motivo mi cercavi?

   .... /6

C **Completa con i pronomi adatti e la desinenza del participio passato quando necessario.**

1. • Scusa, ... dai la penna (a me)?

   • Sì, ... do subito.

2. • Se vedi Filippo puoi dir................ di telefonar................ (a me)?

   • Sì, ... dico sicuramente.

3. • Ragazzi, siamo senza soldi, ... prestate 20 euro?

   • D'accordo, ... prestiamo!

4. • Ho telefonato a Giorgio, ma non .... ho detto la verità.

   • E perché non .... hai dett...........?

   • Perché non ce l'ho fatta!

5. • Anna, hai visto Tommaso? Doveva darti un pacco.

    • Sì, ... ha dat...........

6. • Hai sentito? Nicoletta e Paolo hanno divorziato!

    • Chi .... ha dett..........?

    • .... ha dett.......... Sonia, la sorella di Paolo.

.... /16

D **Completa con la forma giusta dei verbi tra parentesi.**

1. Gli ospiti (andarsene) .... molto soddisfatti.

2. Se troviamo un taxi forse (farcela) .... a prendere il treno.

3. Per favore, (andarsene) .... tutti! Voglio rimanere da solo.

4. Ragazzi, se volete potete (andarsene) ....

5. Sì, mia figlia ora lavora: (farcela) .... a vincere il concorso!

6. Teresa è andata via di casa perché non (farcela) .... più a vivere con i suoi.

.... /6

E **Completa con i pronomi relativi.**

1. Questa è la persona .... ti ho parlato tante volte.

2. - Chi sono Anna e Serena? - Sono le ragazze .... ho conosciuto in Italia.

3. Questa è la casa .... ho abitato da bambino.

4. Non capisco il motivo .... non sei andato a lavorare.

5. Quello è il ragazzo .... è innamorata mia sorella.

6. Non sono molte le persone .... mi fido.

.... /6

F **Completa le seguenti frasi con il comparativo e il superlativo.**

1. Maria è bella, ma, secondo me .... bella è simpatica.

2. Paolo è molto intelligente; infatti, è il .... intelligente .... sua classe.

3. Questo mese ho speso mille euro, il mese scorso ne avevo spesi 800: questo mese ho speso .... quello passato.

4. Quest'anno la nostra ditta non è andata molto bene perché i guadagni sono stati .... all'anno precedente.

5. Francesco è veramente un bel ragazzo, ma che dico, è ....

6. Non mi sono divertito per niente e sono stato male per diversi giorni: ho passato le .... vacanze della mia vita.

7. Nessuno può dire che una cultura è .... a un'altra.

8. Non c'è differenza, per me il caffè è buono .... il tè.

.... /8

Risposte giuste (......... /48)

1. Completa con i verbi del riquadro.

andarono - credette - arrivai - accompagnammo - partisti - ci divertimmo

1. Quando .... a Roma era già notte e, dopo quel lungo viaggio, ero stanchissimo.

2. Noi .... Roberto alla stazione.

Roma, Piazza della Repubblica

3. Quell'anno Tonino e suo fratello ....
   .... in vacanza in Sardegna.

4. Ricordo ancora quella volta che tu ....
   .... senza dire niente a nessuno.

5. Luisa .... a tutto quello che le
   avevano raccontato.

6. A quella festa, a cui ci aveva invitati Piero, ... moltissimo.

2. Scegli la forma verbale corretta.

1. Silvia cominciò/cominciaste/cominciai a lavorare all'età di 16 anni.

2. Alla fine, trovasti/trovai/trovammo la strada da soli.

3. I due amici discuteste/discutette/discussero molto prima di decidere.

4. Per un lungo periodo di tempo, io non sentì/sentisti/sentii parlare di lui.

5. I miei nonni costruimmo/costruirono/costruisti questa casa nel 1960.

6. Ricordo che quell'anno voi lavoraste/lavorarono/lavorasti tutta l'estate.

3. Completa con i verbi al passato remoto.

Romolo e Remo, Statua del Tevere, Piazza del Campidoglio

Secondo la leggenda, Romolo e Remo (1. fondare) .... Roma. Dopo alcuni secoli i romani (2. conquistare) .... quasi tutta l'Europa, parte dell'Asia e dell'Africa, e Roma (3. diventare) .... la più grande potenza del mondo antico. Con Giulio Cesare (4. iniziare) .... il passaggio dalla Repubblica all'Impero. Il popolo romano amava molto Cesare, ma nella storia di Roma c'erano anche imperatori meno amati: per esempio, Caligola, che (5. nominare) .... senatore il suo cavallo, o Nerone che (6. accusare) .... i cristiani dell'incendio di Roma.

4. Completa con il passato remoto.

1. Dopo il viaggio in Italia, Francesca e Veronica (cominciare) .... a interessarsi di arte.

2. Mi ricordo il giorno che (ricevere) .... in regalo la mia prima bicicletta.

3. Sono sicuro che quella volta voi (finire) .... prima di tutti.

4. Perché tu non mi (raccontare) .... niente dei problemi che avevi al lavoro?

5. Al nostro matrimonio non (invitare) .... molte persone.

6. I ragazzi (andare) .... a studiare all'università di Milano, anche se abitavano in Sicilia.

Università degli Studi di Milano

5. Completa con le espressioni del riquadro.

voglio dire che - mi spiego - in che senso - cioè - vale a dire - nel senso

1. Forse non sono stato abbastanza chiaro: .... meglio.

2. La sua mi sembra una storia molto strana, ... che molte cose non coincidono.

3. Per me va bene tutto, ... che possiamo andare a bere qualcosa al bar, oppure, se preferite il cinema, andare a vedere un bel film.

4. .... non sei d'accordo con quello che ho detto? Cerca di spiegare il motivo, almeno!

5. Quando dico che probabilmente ci vedremo, ... forse verrò!

6. Io sono una persona molto orgogliosa, ... accetto difficilmente aiuto dagli altri.

6. a. **Individua nelle frasi il verbo irregolare al passato remoto e scrivi nella tabella l'infinito corrispondente, come nell'esempio. Consulta anche l'Appendice grammaticale.**

L'anno scorso vennero in pochi alla mia festa.

1. Mio padre fu molto contento di andare in Spagna.

2. Antonella diede subito tutti i soldi per l'acquisto dell'appartamento.

3. Quella volta le dissi la verità: non potevo partire perché non stavo bene.

4. La Repubblica Italiana nacque nel 1946.

5. Circa un mese fa, Alfredo ebbe l'idea di aprire un ristorante in centro.

6. Vincenzo lesse la notizia sul giornale, non sapeva nulla di quello che era successo.

Madrid, Spagna

Passato remoto	Infinito
vennero	venire
1.	
2.	
3.	
4.	
5.	
6.	

b. Inserisci i verbi dati e completa le frasi.

diedi • diedero • disse • uscimmo • ebbe • fecero • furono • restammo • stettero

1. C'era tanta gente sul treno che noi .... in piedi per tutto il viaggio.

2. Io non gli .... subito una risposta.

3. Quanti .... i re di Roma?

4. Simona ci .... che era severamente vietato fumare in casa sua, per questo .... in giardino.

5. Loro mi .... tanti buoni consigli.

6. Quell'anno, Marina e Giorgio .... un bellissimo viaggio in Toscana.

7. Guglielmo non .... mai un'auto, non aveva neppure la patente di guida.

8. I due amici, dopo tanto tempo che non si vedevano, ... a parlare per ore.

7. Riordina la parte della frase in blu trasformando il verbo la passato remoto, secondo il modello. Consulta anche l'Appendice grammaticale.

vado / Non / ci / perché non ne ho voglia.
Non ci andai perché non ne avevo voglia.

1. lezione / tiene / Il professore / una splendida / sulla vita quotidiana nella Roma antica.
.... sulla vita quotidiana nella Roma antica.

2. andiamo / festa / alla / Non / perché si è fatto tardi.
.... perché si era fatto tardi.

3. posso / Non / quell'informazione / dargli / perché adesso non ho tempo.
.... perché allora non avevo tempo.

4. detto / che / Hanno / ci telefonano quando arrivano.
.... ci avrebbero telefonato quando sarebbero arrivati.

5. un'amica / è stata / Maria / veramente, / sempre pronta ad aiutare.
...., sempre pronta ad aiutare.

6. l'esame / non dà / Walter / perché non è preparato.
.... perché non era preparato.

8. **Completa con il passato remoto dei verbi fra parentesi. Consulta anche l'Appendice grammaticale.**

1. Durante quelle vacanze (stare, io) .... una settimana a Roma e una a Napoli perché tu mi avevi invitato per la tua laurea, ricordi?

2. A Roma (visitare, io) .... tutti i monumenti in pochi giorni.

3. A Napoli, (venire) .... a trovarci anche Luisa.

4. Mi ricordo che, per la tua laurea, (fare) .... una bellissima festa a casa tua con tanti invitati.

5. Dopo la festa (mettere, noi) .... in ordine la casa.

6. Ricordo anche che tu (dire) .... che quella era stata la giornata più bella della tua vita.

9. **Completa la descrizione dei personaggi principali del fumetto *Asterix*.**

> liberarsi - nemico - combattere - piccolo - dittatore - furbo - situazioni - forza

Asterix è il protagonista: piccolo, ma (1)..............................., è l'uomo più coraggioso del villaggio. Insieme all'amico Obelix è sempre pronto a mille avventure per difendere il loro piccolo villaggio dal (2)...............................: i romani.

Idefix è un (5)................................... cane bianco ed è il cane di Obelix. È deciso e intelligente e più di una volta ha aiutato i suoi amici, Asterix e Obelix, a venir fuori da (6)................................... difficili.

Obelix è il grande amico di Asterix. Molto sentimentale, ha sempre fame e una grandissima (3)..............................., perché da piccolo è caduto nella pozione magica. Passa il suo tempo libero a chiacchierare e passeggiare con Asterix e, naturalmente, a (4)................................... contro i romani.

Giulio Cesere, riprende il personaggio storico di Gaio Giulio Cesare, il (7)................................... di Roma. Un uomo pieno di energia ma con tanti problemi. Più volte Asterix e Obelix lo hanno aiutato a (8)................................... dei falsi amici.

10. Completa con le espressioni per contraddire qualcuno.

Ma non è vero niente! - Ma no - Che confusione! - Neanche per - Niente affatto! - Non dare retta

1. ● Ti hanno detto che andiamo al cinema, vero? Vieni anche tu?
   ● .... Lo sai che non mi piacciono i film di fantascienza.

2. ● Stefano, è vero che hai comprato l'appartamento dove abitavi in affitto?
   ● .... Ma se non ho i soldi per l'affitto, come faccio a comprare l'appartamento?

3. ● Vabbè, se non ti interessa quello che dico...
   ● ...., non ho detto che non mi interessa quello che dici, ma mi sembra inutile parlarne: per il momento non c'è soluzione.

4. ● Scusami, perché ti sei offeso?
   ● .... sogno, stavo pensando a quello che hai detto.

5. ● Ciao, Cinzia. Sei ancora qui? Davide mi disse che saresti partita per l'Inghilterra.
   ● .... a Davide! Te l'ho detto più volte che dice molte bugie.

6. ● Giulio Cesare fondò Roma.
   ● .... Furono Romolo e Remo che fondarono Roma.

11. Completa con i verbi del riquadro.

diedero - morì - fondarono - iniziò - fece - nacque - ebbe - divenne

Gianni Rodari (1)..................................... a Omegna in provincia di Novara il 24 ottobre 1920 e (2)..................................... giovanissimo la sua attività di scrittore. Insieme alla passione per la scrittura (3)..................................... sempre la passione per la politica. Nel 1947 diventò giornalista, (4)..................................... parte della redazione di importanti quotidiani (l'Unità, Paese Sera)

ed era tra coloro che (5)..................................... Il Pioniere, settimanale per ragazzi. Nel 1970 gli (6)..................................... il premio Andersen, il più importante concorso internazionale per la letteratura dell'infanzia. Rodari (7)..................................... famoso in tutto il mondo. Tra le sue opere più famose, tradotte in tutto il mondo, ricordiamo: Il libro delle filastrocche (1951), Le avventure di Cipollino (1951), Filastrocche in cielo e in terra (1960), Favole al telefono (1962), La freccia azzurra (1964), I viaggi di Giovannino Perdigiorno (1974). Scrittore di grande forza immaginativa, (8)..................................... a Roma il 14 aprile 1980.

Adattato da www.giannirodari.it

12. Completa con i verbi al passato remoto.

1. Un giorno (venire) .... a trovarci il fratello di Giovanna. Era molto simpatico e (fare, noi) .... subito amicizia. Poi non so cosa (succedere) ....: non lo (vedere, io) .... più.

2. Laura, l'anno scorso, (prendere) .... tutte le ferie in estate quando (andare) .... in Brasile?

3. (Chiedere, io) .... agli studenti se preferivano fare lezione la mattina o il pomeriggio e loro (scegliere) .... le lezioni della mattina perché così avrebbero avuto il pomeriggio libero.

4. È vero, io non (scrivere) .... mai a Beatrice perché (partire, lei) .... senza salutarmi.

5. Rosa e Francesca una sera (litigare) .... per chi avrebbe dovuto pulire la casa, ma poi (discutere, loro) .... con calma e (capire) .... che non ne valeva la pena.

6. Fabrizio non lo (sapere) .... da me che Giulia usciva con un altro ragazzo, li (vedere) .... lui stesso mentre passeggiavano in centro.

13. Abbina le due colonne. Consulta anche l'Appendice grammaticale.

1. MDCC	a.	settecentocinquanta
2. XIX	b.	otto
3. XLV	c.	diciannove
4. DCCL	d.	quarantacinque
5. CLXI	e.	millesettecento
6. VIII	f.	centosessantuno

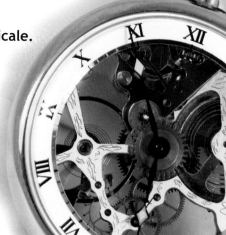

14. a. Completa la favola di *Pinocchio*, scritta da Carlo Collodi, con i verbi al passato remoto o all'imperfetto e metti in ordine le varie parti.

A In poco tempo Geppetto (finire) .... il suo burattino*, completo di braccia, mani, gambe e piedi.

B C'era una volta Geppetto, un vecchio uomo che (vivere) .... da solo in una piccola casa con la sola compagnia di un piccolo gatto e un pesce rosso.

C Dopo gli occhi, (fare) .... il naso, ma il naso, appena fatto, (cominciare) .... a crescere e (diventare) .... in pochi minuti un naso lunghissimo.

D Un giorno, Geppetto (decidere) .... di costruire un burattino per avere qualcuno con cui parlare; allora (prendere) .... un grande pezzo di legno e cominciò a lavorare.

* burattino

E Per cominciare gli (fare) .... il viso, i capelli e gli occhi e gli (scegliere) ....
un nome: Pinocchio. (Rimanere) .... molto sorpreso quando (vedere) ....
che gli occhi di Pinocchio (muoversi) .... e lo (guardare) ....!

F Appena finito, il burattino (alzarsi) .... e (cominciare) .... a camminare!
Geppetto non poteva credere a quello che stava vedendo! Il burattino (camminare)
.... e (parlare) ....!

G Dopo il naso, (fare) .... la bocca; ma la bocca, appena fatta, (cominciare)
.... a ridere a Geppetto e poi gli (mostrare) .... anche la lingua.

1. B	2.	3.	4.	5.	6.	7.

b. Completa le frasi con i verbi al passato remoto.

410 d.C.	I Visigoti (scendere) .... in Italia.
455 d.C.	I Vandali (distruggere) .... Roma.
568 d.C.	I Longobardi (invadere) .... l'Italia.
774 d.C.	Carlo Magno (sconfiggere) .... i Longobardi.
1266	Carlo d'Angió (divenire) .... re di Sicilia.
XIV secolo	Molte città (trasformarsi) .... in Signorie.

Incoronazione di Carlo Magno, Palazzi Pontifici, Vaticano

15. Completa con il trapassato remoto e collega le frasi, come nell'esempio.

1. Oriana Fallaci divenne famosa,

2. Mi ricordo che Franco si sentì male

3. Dopo che (terminato, loro) .... l'esame

4. Iniziammo a vedere il film,

5. Non appena Gino (addormentarsi) ....,

6. Solo quando (arrivare) .... tutti

a. squillò il cellulare: era Maria che gli ricordava l'appuntamento.

b. il professore iniziò a parlare.

c. dopo che (andarsene, loro) ....

d. non appena (bere, lui) .... il primo bicchiere di whisky.

e. andarono a festeggiare con tutti gli amici.

f. dopo che (scrivere, lei) .... il suo libro *Un uomo*.

1. f	2.	3.	4.	5.	6.

16. Completa le frasi con le espressioni giuste.

> si trasferirono in • decisero di • mi ricordai di • si iscrissero a • partì con • andai

1. Appena ebbi preso la laurea in Medicina, ... un anno negli Stati Uniti per seguire un corso di specializzazione.

2. Non appena l'autobus fu partito, ... non aver preso il mio computer portatile.

3. I nonni di Flavia, dopo che ebbero vissuto trent'anni in Svizzera, ... tornare al loro paese.

4. Dopo che furono tornati dal loro viaggio in America, ... un corso di inglese.

5. Quando ebbero avuto il terzo figlio, Dario e Roberta .... campagna.

6. Non appena mio padre ebbe letto l'SMS, ... il primo volo.

17. Completa con il suffisso -mente, secondo il modello.

> (leggero) Sono leggermente stanco perché ho dormito male.

1. Il fine settimana, (solito) ...., facciamo una gita al lago.

2. (esatto) Ho fatto .... come avevi detto tu.

3. (serio) Smettetela, adesso parlo ....!

4. (sereno) Abbiamo affrontato la situazione ....

5. (onesto) Mio padre ha tanti soldi perché ha lavorato tanto e sempre ....

6. (difficile) .... riuscirò a finire questo lavoro per domani.

18. Completa le frasi con gli avverbi corrispondenti agli aggettivi del riquadro.

> minimo - giusto - personale - attento - probabile - libero

1. • Posso dire cosa penso?

   • Certo, parla pure ....

2. • Mi hai spedito i documenti?

   • Sono andata .... alla posta.

3. • Quando ci verrete a trovare?

   • Ci vedremo .... alla fine dell'estate.

4. • Perché non inviti anche Miriam?

   • Non ci penso ....!

5. • Come ha reagito?

   • Aveva ragione, quindi .... si è arrabbiato.

6. • Hai letto i miei appunti?

   • Sì, li ho letti .... Hai fatto un ottimo lavoro!

19. Completa con le preposizioni semplici o articolate.

I nomi dei romani

Il *praenomen* corrisponde (1)................... nostri nomi comuni: Marcus, Caius, Lucius ecc.

Il *nomen gentilicium* indica il "clan" (2)................... quale si appartiene; un cognome comune

(3)................... tante famiglie e comprende, (4)................... volte, migliaia di persone (*la gens*).

Il *cognomen*, infine, è un soprannome, quasi un aggettivo, che indica una caratteristica morale o

fisica (5)................... persona. Rufus (il rosso), Brutus (lo stupido), Calvus (il calvo, cioè senza capelli),

Caecus (il cieco, cioè che non vede), Nasica (il nasone, cioè (6)................... un

grosso naso), Dentatus (il dentone, cioè con grandi denti) ...

L'uso (7)................... tre nomi si diffuse soprattutto (8)................... epoca del

dittatore Silla. Da quel momento (9)................... poi tutti dovettero portare la

loro lunga fila (10)................... nomi.

Adattato da *Una giornata nell'antica Roma* di Alberto Angela, ed. Mondadori

20. Scegli la parola adeguata.

Davanti a noi, (1) fra - in mezzo - mentre alla gente, vediamo un uomo (2)
in - a - con cavallo che avanza lentamente: è certamente un cavaliere. Avrà
(3) circa - verso - molto venticinque anni e mostra caratteri più "celtici" (4) di - che - come mediterranei: infatti ha gli occhi chiari e i capelli biondo-castani.

Sentiamo un urlo: "Peregrino! Peregrino!". E poi: "Publio Sulpicio Peregrino!". Il giovane a cavallo si
gira (5) circa - verso - durante di noi e ci guarda... Non capiamo. L'uomo (6) che - chi - cui ha urlato si trova proprio (7) davanti - accanto - dietro di noi ed è verso di lui che il cavaliere guarda.
L'uomo viene avanti e sorride. Il cavaliere lo riconosce e con un salto scende (8) nel - dal - con
cavallo. I due si abbracciano a lungo. Sono fratelli che non si vedono (9) per - da - in tempo. Allegri
e contenti, vanno (10) a - con - in piedi verso un piccolo locale. Vanno certamente a bere vino ...

Adattato da *Una giornata nell'antica Roma* di Alberto Angela, ed. Mondadori

21. Completa le frasi con la parola giusta.

1. - Com'è andata la gita a Roma? - Quale gita? Mauro non è stato bene, ... abbiamo deciso di andarci il prossimo fine settimana!

   a) così   b) quando   c) se

2. I ragazzi sono andati al cinema, ... non hanno visto il film che volevano vedere.

   a) perché   b) ma   c) allora

3. .... hai detto che arriverai? Domani mattina?

   a) Dove   b) Come   c) Quando

4. No, non mi disturbi affatto, ... mi fa molto piacere vederti.

   a) se   b) però   c) anzi

5. Non ha passato l'esame .... negli ultimi tempi studiava pochissimo!

    a) perché   b) allora   c) così

6. Il Meridione, ... il Sud d'Italia, comprende le seguenti regioni: Abruzzo, Basilicata, Calabria, Campania, Molise, Puglia, Sicilia e Sardegna.

    a) invece   b) o   c) che

22. Abbina ogni parola alla giusta definizione.

1. cattedrale	a. fuoco violento che distrugge tutto
2. borghesia	b. forma di governo di molte città italiane nel Trecento e Quattrocento
3. Signoria	c. entrare e occupare un luogo con la forza
4. incendio	d. chiesa principale
5. invasione	e. classe sociale composta da mercanti, banchieri e professionisti

CD 1

23. Il brano che segue è una brevissima storia della lingua italiana; ascoltalo e indica l'affermazione giusta tra quelle proposte.

1. Il latino volgare

    a. era la lingua ufficiale dell'antichità

    b. è la lingua da cui nacquero alcune lingue moderne

    c. era la lingua parlata durante l'Impero Romano

    d. è la lingua più diffusa in Europa

2. L'italiano moderno

    a. ha origine ai tempi dell'antica Roma

    b. ha origini molto recenti

    c. deriva dal dialetto parlato in Sicilia

    d. deriva dal dialetto parlato a Firenze

3. La lingua italiana

    a. ha avuto una storia lunga e difficile

    b. non ha molti dialetti

    c. ha poche parole di origine straniera

    d. non ha le vocali

4. Dal Trecento all'Ottocento

    a. in Italia si parlava l'italiano standard

    b. in Italia si parlavano moltissimi dialetti diversi

    c. si parlava solo il latino

    d. gli italiani usavano solo lingue straniere

5. L'italiano standard

   a. si sviluppa con l'Unità d'Italia

   b. si diffonde grazie al fascismo

   c. si afferma soprattutto al Nord Italia

   d. si afferma soprattutto grazie alla TV

6. Oggi gli italiani

   a. parlano più in dialetto che in italiano

   b. a volte parlano in dialetto

   c. non usano per niente i dialetti

   d. imparano almeno un dialetto a scuola

Test finale

A Scegli l'alternativa corretta.

1. Non appena (1).............................. che il tempo era poco, si misero (1)............................. al lavoro.

   (1) a) capivano

      b) ebbero capito

      c) avevano capito

   (2) a) molto veloci

      b) veloce

      c) velocemente

2. Il professore (1).............................. qualcosa, ma nessuno dei ragazzi presenti lo (2)............................

   (1) a) ebbe detto

      b) dice

      c) disse

   (2) a) ascolterebbe

      b) ebbe ascoltato

      c) ascoltava

3. Mentre la nave (1).............................., loro (2).............................. a immaginare come sarebbe stato il viaggio.

   (1) a) partiva

      b) partì

      c) fu partita

   (2) a) iniziano

      b) iniziavano

      c) iniziarono

4. In quell'occasione non (1).............................. bene, (2).............................. avresti almeno potuto chiederle scusa.

   (1) a) ti comporterai

      b) ti comportasti

      c) ti comportavi

   (2) a) niente affatto

      b) voglio dire che

      c) neanch'io

5. (1).............................. una bambina la quale, mentre attraversava il bosco, (2).............................. un lupo cattivo.

   (1) a) Ci sono state due volte

      b) C'era una volta

      c) C'è una volta

   (2) a) incontrerà

      b) incontrerebbe

      c) incontrò

6. Non appena il treno (1)................................ dalla stazione, (2)................................ di aver dimenticato il passaporto.

(1) a) usciva

    b) uscii

    c) fu uscito

(2) a) ci rendevamo conto

    b) ci rendemmo conto

    c) ci renderemmo conto

B **Scrivi una breve biografia di Virgilio, il grande poeta latino, trasformando i verbi al passato remoto.**

70 a.C.	Virgilio (1) nasce in un paese vicino a Mantova. I genitori lo (2) mandano a studiare prima alla scuola di Cremona, poi a Milano per frequentare le scuole migliori.
53 a.C.	(3) Va a Roma e lì (4) ha la possibilità di studiare con lo stesso maestro dell'imperatore Augusto.
44 a.C.	(5) Muore Giulio Cesare, ucciso dai nemici interni, e Virgilio (6) si trasferisce a Napoli dove (7) scrive la sua prima opera, *Le Bucoliche*.
Tra il 36 e il 29 a.C.	Durante il suo soggiorno a Napoli (8) compone un altro dei suoi capolavori, *Le Georgiche*. Con quest'opera (9) diventa il poeta preferito dell'imperatore Augusto e di tutto l'Impero Romano.
Tra il 29 e il 19 a.C.	L'ultima sua opera letteraria (10) è l'*Eneide*, in cui (11) celebra la grandezza della *gens Iulia*, la famiglia di Giulio Cesare. Virgilio (12) muore il 21 settembre del 19 a.C. a Brindisi ritornando da un lungo viaggio in Grecia e in Asia. Virgilio (13) è uno dei più grandi poeti nati in Italia: Dante Alighieri lo (14) rappresenta come suo maestro e guida nell'Inferno.

....

....

....

....

....

....

....

....

....

....

C   **Risolvi il cruciverba.**

ORIZZONTALI

1. La città del Castello Sforzesco.
4. Periodo strorico compreso tra il 476 e il 1472.
7. Infinito di *foste*.
9. Il fratello di Remo.

VERTICALI

1. Famosa famiglia della Firenze del XV secolo.
2. Avverbio di *felice*.
3. Lo era Augusto.
5. Il contrario di *amico*.
6. XXI in lettere.
8. Diventa capitale d'Italia nel 1871.

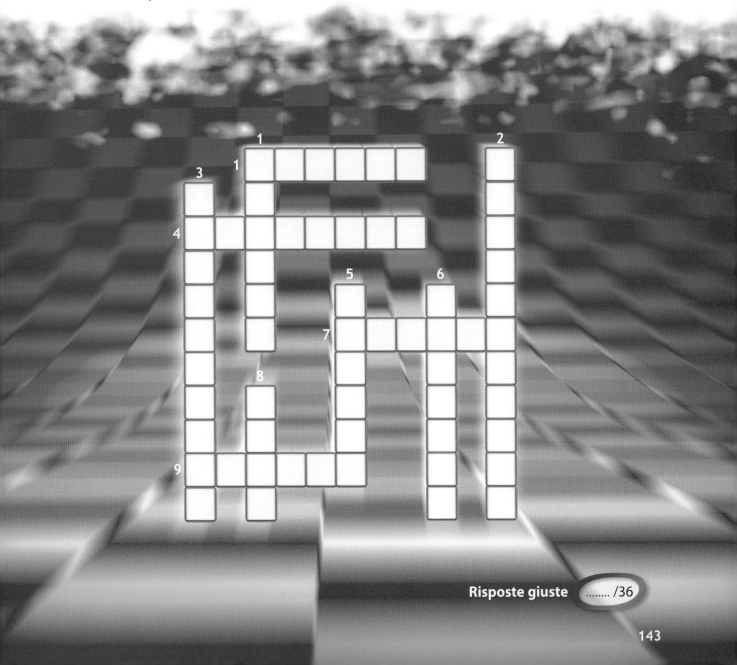

Risposte giuste   .... /36

Attività Video - episodio *In giro per Roma*

Per cominciare...

1   Quali monumenti di Roma conosci? A coppie, fate una lista dei posti e dei monumenti famosi di Roma che conoscete direttamente o da quanto avete visto nel *Libro dello studente*.

2   Guarda senza audio i primi 40 secondi. Cosa succede, secondo te? Cosa puoi capire dall'atteggiamento e dai gesti dei due protagonisti? Descrivi la situazione e fai ipotesi sul proseguimento dell'episodio.

Guardiamo

1   Guarda l'intero episodio con l'audio e verifica le ipotesi fatte in precedenza.

2   Abbina le informazioni date alle foto corrispondenti.

a. Il leone di San Marco viene dalle mura di Padova.
b. Fu progettata da Michelangelo alla metà del Cinquecento.
c. La sua costruzione iniziò nel 72 sotto l'imperatore Vespasiano.
d. In epoca romana era uno stadio.
e. Fu un monumento romano, cioè la tomba di Adriano.
f. Si chiama così perché nel '700 c'era l'ambasciata spagnola.

Facciamo il punto

Fai un breve riassunto dell'episodio, orale o scritto (60-70 parole).

1. a. Inserisci le seguenti parole (alla moda, mangiano, simpatici, costose, muovono, gridano) e leggi le opinioni di alcuni stranieri sugli italiani.

Gli italiani sono molto (1)........................ e sono sempre contenti.

Gli italiani sono molto rumorosi e (3)........................ sempre.

(5)........................ le mani quando parlano, gesticolano molto.

(2)........................ solo pasta e pizza.

Vestono sempre (4).......................... e portano sempre dei grandi occhiali da sole.

Hanno macchine molto (6)........................ e usano sempre il cellulare.

b. Conosci degli italiani? Completa con il congiuntivo le risposte alle opinioni che hai letto.

1. È vero che molti italiani sono simpatici, ma non penso che tutti gli italiani (essere) .... sempre contenti.

2. Certamente gli italiani mangiano molta pasta ma credo che (mangiare) .... un po' di tutto.

3. Sicuramente la moda italiana è famosa nel mondo, ma mi sembra che non tutti gli italiani (vestire) .... all'ultima moda.

4. È vero che parlano un po' a voce alta, ma non mi pare che (essere) .... molto rumorosi e che (gridare) .... sempre.

5. Forse gli italiani gesticolano un po' quando parlano, ma penso che (muovere) .... le mani come tutti.

6. A volte, forse, li avrai visti parlare al cellulare, ma non mi sembra che (usare) .... sempre il cellulare, e non credo che (avere) .... tutti macchine costose.

7. Credo che non (esserci) .... molte differenze fra noi e gli italiani, anzi penso che (essere) .... molto simili a noi.

2. Scegli il verbo corretto.

1. È vero che loro capiscano/capiscono/capirebbero bene l'italiano?

2. Sembra che i tuoi amici si trovavano/si trovano/si trovino bene in Italia.

3. Franco è/sia/sarà sempre agitato: ultimamente non riesce a dormire bene.

4. Ho l'impressione che tu non hai/avevi/abbia energie perché non faccia/fai/farai mai colazione la mattina.

5. Non so quanto tempo si fermerà da noi; immagino che ripartiamo/ripartiate/riparta la settimana prossima.

6. È meglio che loro cambino/cambiano/cambiato abitudini: non possono continuare con questi ritmi frenetici.

3. Completa con il congiuntivo presente.

1. Spero che lo spettacolo (finire) .... presto; domani devo alzarmi alle sei.

2. Penso che Mario (passare) .... troppo tempo davanti al computer.

3. È necessario che (prendere, voi) .... il treno delle dieci per arrivare in orario all'appuntamento.

4. Può darsi che (avere, loro) .... ragione, ma noi non siamo per niente d'accordo.

5. Mario pensa che noi (lavorare) .... troppo e che dovremmo prenderci un periodo di vacanza.

6. Non credo che Giovanni (essere) .... pigro, è soltanto stressato, ha bisogno di rilassarsi un po'.

4. Completa con il congiuntivo passato secondo il modello.

• Quando torna Claudio?
• Credo che sia tornato ieri.

1. • Chi avrà vinto la partita?
   • Spero che l'.. l'Italia!

2. • Giulio e Loredana sono partiti per la luna di miele. Secondo te, chi ha pagato il loro viaggio di nozze?
   • Immagino che l'.. i loro genitori.

3. • Teresa è mai venuta a Verona?
   • Mi pare che ci .... due anni fa.

4. • Anna ha comprato il giornale?
   • Sì, credo che l'.. stamattina.

5. • I ragazzi hanno finito di fare i compiti?
   • È facile che non li .... ancora .... perché avevano molti esercizi di matematica.

6. ● Sai quando se ne sono andati Gianni e Alberto?

   ● È probabile che .... poco prima del nostro arrivo.

7. ● Sai che mia figlia ha vinto quel concorso pubblico di cui ti avevo parlato?

   ● Sono veramente contento che l'.. tua figlia.

8. ● Ma Giulio è partito senza dire niente?

   ● Eh sì, penso che .... senza neanche salutarci.

5. **Cosa è successo a queste persone? Osserva le vignette e completa le frasi con il verbo giusto al congiuntivo passato.**

andare • superare • partire • sposarsi • perdere • bere

1. Credo che Silvia .... il treno.

2. Penso che questa volta Stefano .... l'esame di Letteratura italiana.

3. Ragazzi, ho l'impressione che questa sera .... un po' troppo.

4. Immagino che Federica .... via dalla festa non appena è arrivato Graziano.

5. Mi sembra che la famiglia Bianchi .... per le vacanze.

6. È probabile che Andrea e Veronica .... senza dire niente a nessuno: sono sempre stati un po' strani.

6. Completa con il congiuntivo presente o passato.

1. Non sono sicuro che, l'altro giorno, Francesco (**capire**) .... quello che gli abbiamo detto.

2. Se non hanno risposto alla tua email, è probabile che non (**ricevere**) l'..

3. • Perché Alessandra non è venuta?

   • Credo che ieri (**sentirsi**) .... male e (**preferire**) .... restare a casa.

4. È necessario che (**lavorare**) .... di più se volete finire questo lavoro prima di domenica.

5. È una fortuna che tu (**portare**) .... l'ombrello. Guarda: piove.

6. • Perché Antonio non risponde al cellulare?

   • Credo che il suo cellulare non (**funzionare**) ....

7. Leggi le frasi e scegli la risposta corretta fra le due alternative.

1. • Scusami per il ritardo, ma c'è veramente tanto traffico. • Per me va bene! / Non fa niente!

2. • Spero di non crearti problemi, ma oggi ho l'influenza e non posso venire. Ti dispiace se ci vediamo domani? • Certo, nessun problema. / Fai pure con calma.

3. • Ho deciso di abbandonare l'università e cominciare a lavorare. • Fa' come ti pare! / Non fa niente!

4. • Mario, posso chiamare dal tuo cellulare? • Non fa niente! / Figurati, fai pure!

5. • Penso di comprare un nuovo computer. Cosa ne dici? • Per me va bene! / Figurati, fai pure!

6. • Sandra, finisco di scrivere questa email e sono da te tra cinque minuti. • No, non fa niente! / Fai pure con calma.

8. **a.** Trasforma le frasi da affermazioni in supposizioni, secondo il modello.

> La settimana prossima vado in montagna.
> È probabile che la settimana prossima vada in montagna.

1. Dino sta organizzando un viaggio, ma non so per quando.

   Credo che Dino .... organizzando un viaggio, ma non so per quando.

2. Se faccio una festa per il mio compleanno, ti avviso.

   È difficile che io .... una festa perché il giorno dopo ho un esame.

3. Io ho invitato anche Elisa, ma non so se può venire.

   Io ho invitato anche Elisa, spero che .... venire.

4. Quando dico che mi sono divertito alla sua festa, sono sincero.

   Sandra crede che io .... che mi sono divertito alla sua festa per non offenderla.

5. Siccome non ho la macchina, vengo con voi.

È probabile che io .... con voi perché non ho la macchina.

6. Roberto non dà molta importanza al suo rapporto con Federica.

Penso che Roberto non .... molta importanza al suo rapporto con Federica e lei ne soffre tanto.

b. Completa le frasi con i verbi del riquadro al congiuntivo. Consulta anche l'Appendice grammaticale.

> uscire - volere - dire - scegliere - venire - andare - sapere - salire - fare - stare

1. Non credo che in questo periodo .... molto caldo a Livorno.

Livorno, Toscana

2. È giusto che voi .... sempre quello che pensate.

3. È importante che loro .... la facoltà universitaria: da questa decisione dipende il loro futuro.

4. Speriamo che .... anche Giuliano e Nina: sono così simpatici.

5. Credo che i ragazzi .... tornando, è già mezzanotte.

6. Sembra che Giovanni .... trasferirsi a Londra.

7. Spero che i prezzi non .... ancora.

8. Penso che loro .... al mare il prossimo fine settimana.

9. È necessario che io .... a fare due passi: ho lavorato troppo.

10. Credi che non .... quando è nata mia moglie?

9. Completa il testo con le parole del riquadro.

> alcoliche • almeno • cominciate • davanti • mangiate • necessario
> notte • piedi • ritmi • sedentaria • seguiate • stress

Alimentazione e Salute nello sport

Una buona salute dipende da uno stile di vita sano: per averla è sufficiente che (1)..................................... delle semplici regole quotidiane. Vediamo qualche consiglio.

In primo luogo è (2)..................................... che facciate un po' di movimento ogni giorno. La vita (3)..................................... è una vera nemica della salute e spesso è la causa principale del mal di schiena. Cercate di camminare (4)..................................... un'ora al giorno: andate al lavoro a (5)..................................... , in bicicletta o con i mezzi pubblici. (6)..................................... la giornata con una sana colazione. Prendete almeno un'ora di pausa per il pranzo: è meglio che non (7)..................................... panini, e che limitate i caffè e le ore passate (8)..................................... alla TV.

Cercate di evitare lo (9)..................................... È importante che abbiate (10)..................................... regolari e che dormiate almeno sette ore a (11)..................................... .

Ovviamente, inoltre, cercate di evitare il fumo e le bevande (12)..................................... .

10. Trasforma le frasi con il verbo al congiuntivo presente o passato, secondo il modello. Consulta anche l'Appendice grammaticale.

> *Voglio che* Ascoltatemi quando vi parlo!
> Voglio che mi ascoltiate quando vi parlo!

1. *Spero che* Smetterà di piovere? Vorrei andare a fare una passeggiata in centro.
   ....

2. *Ho paura che* Non hai capito bene quello che ho detto.
   ....

3. *Mi fa piacere che* Vi trovate bene in questa città.
   ....

4. *Desidero che* Restate a cena con noi!
   ....

5. *Sono contento che* Venite a vivere vicino a casa nostra.
   ....

6. *Temo che* Patrizia ha fatto una brutta figura all'esame.
   ....

7. *Mi auguro che* Il direttore ci darà l'aumento che ci aveva promesso.
   ....

8. *Mi dispiace che* Non sei potuto venire alla conferenza: era molto interessante.
   ....

11. Completa le frasi con la giusta espressione (spazi in rosso) e il verbo al congiuntivo presente o passato (spazi in blu).

> È probabile che • È importante che • È normale che • È strano che
> Si dice che • È necessario che

1. .... Beatrice (arrivare) .... con un'ora di anticipo, di solito è sempre in ritardo.

2. ...., in questo periodo, (cercare, voi) .... di stare vicino a Luigi, ha avuto tanti problemi ed è tanto triste.

3. .... io (fare) .... subito una telefonata: devo chiamare a casa per dire che torno più tardi.

4. .... Luca (partire) .... per motivi di lavoro.

5. .... (sapere) .... bene l'inglese: ha vissuto dieci anni a Londra.

6. .... Alberto (decidere) .... di andare a vivere in Germania, per questo sta seguendo un corso di lingua tedesca.

12. **Collegate le frasi con la congiunzione corretta.**

1. Accetterò l'invito	prima che	a. tu abbia bisogno di me.
2. Chiamami	a meno che	b. mi dica la verità.
3. Vai a salutare i tuoi amici	affinché	c. ne abbia già due.
4. Parlerò con Sergio	nel caso	d. non lo sappiate già.
5. Comprerò una nuova bicicletta	benché	e. partano per la Spagna.
6. Vi racconto io cosa è successo ieri,	a patto che	f. mi facciate portare il dolce.

13. **Inserite negli spazi rossi i pronomi relativi e negli spazi in blu le espressioni date.**

È preferibile che ● a condizione che ● Ho intenzione di ● Sebbene ● perché ● Anche se

che ● che ● che ● su cui ● in cui ● con cui

1. .... l'appartamento ....
.... abito è vecchio, a me piace molto perché è in centro.

2. .... conosca da poco Patrizia, la ragazza .... vado in piscina, la considero una
vera amica.

3. Carlo è ancora disoccupato .... vuole
fare un lavoro .... non lo faccia stancare.

4. .... comprare una macchina ....
.... sia grande, veloce ed economica.

5. Ti presto volentieri i libri .... preparare l'esame di lingua tedesca, ...
.... quando finisci me li restituisca.

6. La Fiat cerca giovani laureati .... conoscano almeno due lingue. ....
.... siano disposti a viaggiare.

14. **a. Completa le frasi con le parole date e i verbi al congiuntivo.**

andare - comunque - qualsiasi - fare - riuscire - chiunque

1. Ovunque .... si porta sempre dietro il suo cane.

2. La palestra fa uno sconto a .... porti con sé un
amico.

3. È il viaggio più bello che .... in vita mia.

4. .... cosa tu dica, io resterò della mia opinione.

5. Gianni è il solo che .... a farmi ridere quando
sono triste.

6. Ti sarò sempre vicino .... vadano le cose!

b. Completa le frasi con il verbo al congiuntivo negli spazi blu e con le espressioni date negli spazi rossi.

> sarà difficile che - È un peccato che - il ragazzo più - purché - Nonostante - basta che

1. .... mio nonno (compiere) .... 78 anni il mese scorso, continua ad andare in bicicletta.

2. Ti comprerò il motorino, ... tu mi (promettere) .... di guidare con attenzione!

3. .... non (potere) .... aprire un Bed&Brekfast, era il mio desiderio più grande.

4. Oggi c'è proprio tanto lavoro, ... stasera (avere, io) .... voglia di venire a ballare.

5. Vi aiuterò con questo esercizio .... poi (mettersi, voi) .... da soli a fare gli altri.

6. Riccardo è .... simpatico che (conoscere) ....

15. Completa le battute delle vignette con i verbi dati.

abbia ... visto • abbiano • faccia • sia • vinca • vincano

Quando dici a qualcuno «Non si preoccupi, non abbia paura, è un cane tranquillo», hai idea di quanto questo mi (1)................... stare male?

Nave in vista! Credo che (2)................... cattive intenzioni...

Certo, Lei non ha nessuna colpa fino a quando non sarà dimostrato il contrario... sebbene io non (3).......... mai .... un'espressione così cattiva.

Sono anni che combatto i chili in eccesso, ma pare che (4)................... sempre loro!

Non è necessario che tu (5)................... d'accordo con me. Puoi sempre tenere la bocca chiusa!

Le ultime parole famose...

Chiunque (6)..................., a fine partita ci daremo la mano e... amici come prima!

16. Completa con i tempi opportuni del congiuntivo.

1. Mi sembra strano che tu non (leggere) .... *Il Piccolo Principe* di Antoine de Saint-Exupéry!

2. È meglio che voi (leggere) .... tutto l'articolo prima di dire la vostra opinione.

3. Non sono sicuro, ma credo che Ilaria (finire) .... di lavorare alle cinque, e (tornare) .... a casa verso le sette.

4. Penso che Ilaria (finire) .... di lavorare presto oggi: le ho telefonato ed era già a casa.

5. È impossibile che tu, in tutti questi anni, non (capire) .... ancora come la penso.

6. È incredibile che tu non (capire) .... quello che ti sto dicendo.

7. È facile che domani noi non (riuscire) .... a superare l'esame perché abbiamo studiato poco e male.

8. Mi pare impossibile che tu non (riuscire) .... a superare l'esame di ieri: avevi studiato così tanto!

17. Indicativo, infinito o congiuntivo? Scegli il modo adeguato.

1. Fulvia ha finalmente deciso di (andare) .... in un centro dietetico per seguire un'alimentazione più equilibrata.

2. Secondo me, Piero (partire) .... per le vacanze: ieri non rispondeva al telefono.

3. Non sono sicuro che questo piatto (essere) .... più nutriente di quelli che cucino io.

4. Solo quando ho visto il cartello, ho capito che (sbagliare) .... strada.

5. È importante che tutti (arrivare) .... in orario a lezione.

6. Probabilmente domani sera (andare, loro) .... al cinema.

7. La mia città è sicuramente più bella anche se (fare) .... più freddo.

8. Giovanni ha scelto di (trasferirsi) .... a Bologna quando ha conosciuto Stefania.

Bologna, Basilica di San Petronio

153

18. Completa il testo con il congiuntivo o l'indicativo dei verbi.

A: paolas@yahoo.it
Cc:
Oggetto: congratulazioni!!!

Cara Paola,

ti scrivo dopo aver ricevuto la bella notizia. Mi fa piacere che tu (1. trovare) ....
un buon posto di lavoro. Hai visto che alla fine (2. farcela) ....?! Sono veramente felice che le cose (3. andare) .... così, anche se un po' (4. dispiacersi)
................................, mi rattrista il fatto che tu non (5. potere) .... più
venire a trovarmi tanto spesso.

Comunque io ti (6. aspettare) .... per le prossime vacanze. Spero che ti (7.
dare) .... due settimane di ferie per poter realizzare il viaggio in Messico che
(8. progettare) ....

Non vedo l'ora che (9. arrivare) .... quel momento.

Un grosso bacio,
Piero

19. Completa con le preposizioni.

1. Chi ha parcheggiato la macchina .... marciapiede?

2. Vado .... fare jogging .... parco.

3. Per favore, non lasciare i tuoi libri .... mia scrivania.

4. .... balcone .... mia casa si gode un magnifico panorama.

5. .... questo momento vorrei essere .... un'isola deserta, lontano .... problemi.

6. Mi puoi prendere la giacca? È .... armadio.

20. Scegli la parola corretta.

Gli italiani e lo sport

In Italia sono (1) verso/circa/troppi 17.170.000 le persone, di tre anni e più
(pari al 30,2%), che dichiarano (2) a/di/per praticare uno (3) o/e/ma più
sport.

Gli uomini praticano lo sport più (4) per le/delle/dalle donne, anche se
queste, attualmente, (5) si dedicano/si dedichino/di dedicavano all'attività sportiva più (6) che/di/del in passato. I giovani fanno attività fisica più
degli adulti e lo sport è più praticato al Nord (7) del/che al/dal Sud.

(8) Mentre/Fra/Per gli sport più praticati troviamo, ovviamente, il calcio, (9) anche se/purché/
benché negli ultimi anni si sia notato un incremento (10) con/di/da altre discipline, come la

ginnastica, l'aerobica e il nuoto. Queste attività sono praticate più dalle donne (11) di/che/per dagli uomini. Per quanto riguarda la motivazione, gli italiani fanno attività fisica più (12) per/su/da piacere e per diminuire lo (13) stanchezza/stress/ritmo di vita che per mantenersi in forma. Molte sono, tuttavia, le persone (14) chi/che/cui non fanno nessuna attività sportiva.

21. Completa con le preposizioni date.

di • di • di • di • della • in • in • in • in • a • a • all' • con • da

I pranzi come i fiori. Si regaleranno a distanza.

Mangiare un buon piatto preparato (1)................... cura, con prodotti di qualità, (2)................... stagione e caratteristici (3)................... una regione. Mangiarlo (4)................... un ristorante romano, ma offerto (5)................... un amico milanese.

Food transfer in inglese, (6)................... italiano lo traduciamo "pasto trasferibile": si tratta della possibilità (7)................... regalare un pranzo o una cena (8)................... una persona che vive in un'altra città e che andrà (9)................... gustarsi quel pranzo o quella cena in uno dei ristoranti che partecipano (10)................... iniziativa. La rete conterà 80 locali (11)................... Italia ma aspira ad avere non meno (12)................... novemila ristoranti (13)................... tutta Europa. Faranno parte (14)................... rete solo quei locali che utilizzano materie prime di qualità.

Adattato da *www.corriere.it*

CD 1

23

22. Ascolta un'intervista a una ragazza, realizzata in una palestra di Milano. Scegli la risposta corretta.

1. La palestra frequentata dalla ragazza
   - a. è piccola e pulita
   - b. è frequentata da bambini
   - c. offre molti servizi e corsi diversi
   - d. ha corsi per anziani

2. La ragazza ha scelto questa palestra anche perché
   - a. ci vanno i suoi amici
   - b. costa poco e non è lontana da casa
   - c. è aperta fino a tardi
   - d. conosce bene l'istruttore

3. La ragazza va in palestra
   - a. per passare un po' il tempo
   - b. perché ama nuotare
   - c. perché è un tipo molto sportivo
   - d. perché si vuole rilassare

4. La ragazza frequenta la palestra
   - a. due o tre volte alla settimana
   - b. tre o quattro volte al mese
   - c. tre o quattro volte alla settimana
   - d. tre o quattro volte al giorno

Test finale

A Scegli l'alternativa corretta.

1. I miei? Credo che quest'estate (1)......................... in montagna. Vedremo cosa (2).........................!

    (1) a) vadano   (2) a) decideranno
        b) vanno   b) sono decisi
        c) siano andati   c) decidano

2. È un bene per tutti che (1)......................... l'acqua nei mesi scorsi.
    Ora (2)......................... affrontare meglio il caldo di questi giorni!

    (1) a) risparmierà   (2) a) possiamo
        b) risparmi   b) abbiamo potuto
        c) abbiamo risparmiato   c) potremmo

3. Ho paura che (1)......................... poche speranze, ma spero (2).........................!

    (1) a) ci sono   (2) a) che mi sbaglierò
        b) ci siano   b) che mi sbaglio
        c) ci siano state   c) di sbagliarmi

4. Nonostante Massimo (1)......................... tanto per l'Europa non (2)......................... ancora a parlare
    bene l'inglese.

    (1) a) viaggia   (2) a) riesce
        b) viaggiava   b) riesca
        c) viaggi   c) riusciva

5. (1)......................... decisione prenderà Sabrina, io le (2)......................... sempre vicino.

    (1) a) Qualunque   (2) a) sia
        b) Chiunque   b) sono stato
        c) Comunque   c) sarò

6. Posso anche credere che (1)......................... Tiziano Ferro, ma non che (2).........................insieme a
    lui in un concerto!

    (1) a) abbia conosciuto (2) a) abbia cantato
        b) conoscerà   b) ne abbiamo cantato
        c) abbiamo conosciuto   c) abbiamo conosciuto

B   **Completa con: prima che, prima di, sebbene, purché, senza che, affinché.**

1. Ti comprerò le scarpe che vuoi, ... non costino troppo.

2. .... metterci in viaggio, facciamo controllare la macchina.

3. Ho bisogno di un programma specifico .... possa lavorare su questo computer.

4. .... non mi senta molto bene, vado in ufficio perché ho un appuntamento importante.

5. Michela si è arrabbiata .... nessuno le abbia detto niente.

6. Telefonerò ai miei genitori .... partano per le vacanze.

C   **Risolvi il cruciverba.**

ORIZZONTALI

1. Un sinonimo di *sebbene*.

3. Sport ... in bicicletta.

6. Le prendiamo quando siamo deboli e stanchi.

7. Lo si dice di una vita... passata a star seduti.

8. Il contrario di *avere ragione*: avere...

9. Lo è una persona che non ha voglia di fare sport, non è attiva, energica, dinamica.

VERTICALI

2. Guida il taxi.

4. Il contrario di *dimagrire*.

5. Ci andiamo per fare un po' di ginnastica e per mantenerci in forma.

7. Fa veramente male a tutti: lo...

Risposte giuste .... /28

Attività Video – episodio *Facciamo un po' di sport!*

Per cominciare...

1 All'inizio dell'episodio, Gianna dice la seguente frase. Prova a completare gli spazi vuoti.

Se .... a resistere un quarto d'ora, sarà già un buon ....

2 Ora guarda i primi 40 secondi e verifica le tue risposte. Fai anche delle ipotesi su come continuerà l'episodio.

Guardiamo

Guarda l'intero episodio e verifica le ipotesi fatte finora.

Facciamo il punto

Osserva le immagini e le battute e scegli l'alternativa corretta.

Comunque d'accordo che adesso faccio vita sedentaria...

1. Lorenzo usa l'espressione evidenziata per dire:
   a. ☐ è giusto che   b. ☐ è strano che
   c. ☐ è vero che

Io mica intendo fermarmi per te, eh?

2. Gianna usa la parola evidenziata per dire:
   a. ☐ assolutamente no   b. ☐ sicuramente
   c. ☐ forse

Fai come vuoi, io non credo di farcela.

3. Lorenzo usa il verbo evidenziato per dire:
   a. ☐ poter respirare   b. ☐ poter continuare
   c. ☐ fare bene

2º test di ricapitolazione (unità 4 e 5)

A Scrivi i verbi alla forma giusta.

Andai a trovare Danilo dopo molti anni dal nostro ultimo incontro. La figlia (1. dirmi) .... che mi aspettava. Quando (2. entrare) ...., (3. trovarlo) .... in terrazza che leggeva il giornale. Appena (4. vedermi) .... non (5. sor-ridere) .... e non (6. alzarsi) .... Mi disse solo che era contento di rivedermi e mi offrì un caffè. Dopo che mi (7. guardare) .... a lungo e con atten-zione, solo allora (8. capire, io) .... che mi aveva scambiato per suo cugino Sergio.

.... /8

B Completa con la forma giusta dei verbi dati.

1. Temo che (stare) .... per nevicare.
2. Sebbene (conoscerti, io) .... solo da poco, posso dire che sei un bravo ragazzo.
3. Credo che Giovanna (ritornare) .... da qualche giorno.
4. Mi auguro che non (accadergli) .... qualcosa di brutto.
5. Mi dispiace che loro (interpretare) .... male le nostre parole.
6. È impossibile che Alessandra non (sapere) .... niente di questo fatto.

.... /6

C Completa le frasi con i verbi alla forma giusta e la congiunzione corretta negli spazi rossi.

a patto che • prima di • sebbene • prima che • perché • benché

1. Non capisco mai bene quello che dice, ... lui (parlare) .... lentamente.
2. Devo assolutamente vederti, ... tu (partire) ....!
3. Andremo in quel ristorante .... (pagare) .... voi!
4. L'avvocato Blasi saluta sempre tutti .... (uscire, lui) .... dall'ufficio.
5. Ripeto anche a te quello che ho detto ad Alfredo .... (essere) .... chiaro a tutti voi come dovete comportarvi domani!
6. .... Mauro non (stare) .... bene tutta la scorsa settimana, oggi parte per la settimana bianca.

.... /12

D   Completa i mini dialoghi con le parole date.

rappresenti - abbia voluto - l'abbia pagata - veramente

1. • Ti piace la mia macchina? L'ho pagata 10 mila euro di seconda mano.

    • Sì, è molto bella! Ma credo che tu .... troppo!

2. • Bello questo quadro, lo compreresti?

    • Sì, è .... bello, ma a dire la verità non capisco cosa ....

    • Io penso che il pittore .... rappresentare la solitudine.

.... /4

Risposte giuste ⬭ .... /30

1° test di progresso

A   **Leggi il testo e indica le affermazioni corrette.**

Ho coltivato a lungo in me l'idea di poter lavorare, un giorno, a sceneggiature per il cinema. [...]
Ora ho perso la speranza di lavorare mai a sceneggiature. Lui ha lavorato a sceneggiature, un tempo, quand'era più giovane. Ha lavorato lui pure in una casa editrice. Ha scritto racconti. Ha fatto tutte le cose che ho fatto io, più molte altre. Rifà il verso alla gente, e soprattutto a una vecchia contessa. Forse riusciva a fare anche l'attore.

Una volta, a Londra, ha cantato in un teatro. Era Giobbe. Aveva dovuto noleggiare un frac; ed era là, in frac, davanti a una specie di leggìo; e cantava. Cantava le parole di Giobbe. [...]

è stato un grande successo, e gli hanno detto che era molto bravo. Se io avessi amato la musica, l'avrei amata con passione. Invece non la capisco. [...]

Mi piace cantare. Non so cantare, e sono stonatissima; canto tuttavia, qualche volta pianissimo, quando son sola. Che sono così stonata, lo so perché me l'hanno detto gli altri; dev'essere, la mia voce, come il miagolare d'un gatto. Ma io, da me, non m'accorgo di nulla; e provo, nel cantare, un vivo piacere. [...]

Di non capire la pittura, le arti figurative, non me ne importa; ma soffro di non amare la musica. [...] Se a volte sento una musica che mi piace, non so ricordarla; e allora come potrei amare una cosa, che non so ricordare? [...]

Tutto il giorno si sente musica, in casa nostra. Lui tiene tutto il giorno la radio accesa. O fa andare dei dischi. Io protesto, ogni tanto, chiedo un po' di silenzio per poter lavorare; ma lui dice che una musica tanto bella è certo salubre per ogni lavoro.

Adattato da *Lui e io*, *Le piccole virtù* di Natalia Ginzburg

1.   La narratrice, da giovane, non ha lavorato come sceneggiatrice.

2.   L'uomo di cui si parla si chiama Giobbe.

3.   L'uomo ha fatto anche l'attore.

4.   La narratrice ha con sé, in casa, un gatto.

5.   Alla narratrice sarebbe piaciuto saper amare la musica.

6.   A casa dei protagonisti c'è sempre silenzio.

B   **Leggi il testo e rispondi alla domanda.**

Sono fidanzata da 4 anni con un ragazzo molto simpatico e tenero, che però negli ultimi tempi si sta dimostrando geloso oltre misura. Ha avuto delle vere e proprie crisi che mi hanno sconvolta e terrorizzata; ha cominciato a bere in modo eccessivo e a minacciarmi anche fisicamente. Quando torno dall'università mi fa il terzo grado, e la mia vita è piena di divieti: non posso rimanere a dormire dalle mie amiche, non gli va se mi taglio i capelli. Non so cosa fare, questa situazione mi pesa; se si avvicina qualcuno che io conosco e lui no, temo che reagisca male. Sono attaccata a lui, ma nello stesso tempo comincio ad avere paura. Se si comporta così adesso che siamo fidanzati, come si comporterà quando saremo sposati?

Tratto da *Grazia*

Quali problemi si trova ad affrontare l'autrice di questa lettera?
(Da un minimo di 15 ad un massimo di 25 parole)

....

....

....

C   **Collega le frasi con le opportune forme di collegamento. Se necessario, elimina o sostituisci alcune parole. Trasforma, dove necessario, i verbi nel modo e nel tempo opportuni.**

1. - mi hanno finalmente portato il computer
    - avevo pagato il computer in contanti
    - hanno tardato parecchio

    ....

    ....

2. - avevo la febbre
    - ho continuato a lavorare
    - dovevo consegnare il lavoro in giornata

    ....

    ....

3. - quando ero all'Università abitavo in una pensione
    - nella pensione erano ospitati tanti stranieri

    ....

    ....

4. - Alberto vuole andare in vacanza
    - Alberto non ha soldi sufficienti per andare in vacanza
    - Alberto decide di lavorare per un mese

    ....

    ....

5. - non siamo sicuri di partire per Parigi
    - ho prenotato una suite costosissima
    - tutte le camere sono prenotate

    ....

    ....

6. - Claudia ha regalato un libro a Eugenio
    - a Eugenio il libro è piaciuto moltissimo
    - ha letto il libro tutto d'un fiato

    ....

    ....

D Abbina le informazioni sottoelencate all'articolo corrispondente.

A PORTA IL TUO CANE IN VACANZA SENZA PROBLEMI

Anche Fido si sta preparando a partire per le vacanze? Per un cane viaggiare in macchina è causa d'ansia, soprattutto se è emotivo e non è abituato alle quattro ruote.

In macchina non ci deve essere troppo caldo: il cane, infatti, lo soffre molto. Se c'è l'aria condizionata, meglio non tenerla al massimo. Se, invece, non c'è è bene tenere il finestrino abbassato quel tanto che basta per far circolare l'aria. Mai lasciare Fido in auto da solo, tanto meno al sole. La temperatura all'interno dell'auto può salire velocemente oltre i 40 gradi.

Lo dice anche il Codice della Strada. Per non diventare pericoloso in auto, il cucciolo deve stare sul sedile posteriore. In ogni caso, è importante creargli un posto confortevole. Magari sistemando sul sedile alcuni cuscini.

C'è sempre un oggetto a cui il cucciolo è particolarmente affezionato. Può essere un gioco, una copertina, un cuscino. Vale la pena portarlo in macchina: servirà a distrarre il cane e contribuirà a farlo stare più tranquillo.

Adattato da *www.donnamoderna.com* (G. Mari)

B IL CUCCIOLO IMPARA LE BUONE MANIERE

È come per i bambini: anche ai cani le buone maniere vanno insegnate sin da piccoli. Nei primi 60 giorni è la mamma a dare al cucciolo le basi del galateo. Dopo, la palla passa al padrone.

"Per i cagnolini sono previste delle lezioni speciali: le cosiddette *Puppy Class* (lezioni per cuccioli)" dice Maria Aniello, educatrice dell'importante Centro cinofilo Alaska Kennel di Perugia. Obiettivo principale dei corsi è far socializzare il cagnolino con altri animali e gli estranei.

Mordicchiare le dita della mano è il passatempo preferito di ogni cucciolo. Lo fa perché usando la bocca scopre il mondo che lo circonda. Ma è un'abitudine da togliergli, altrimenti da adulto può diventare pericoloso.

Quando gioca all'aperto diventa proprio come un bambino. Non risponde ai richiami. Li ignora perché sa che il più delle volte correre dal padrone significa porre fine al divertimento e rientrare a casa. Che fare? Perché obbedisca bisogna offrirgli una piacevole alternativa come per esempio una carezza o un gioco.

Adattato da *www.donnamoderna.com* (A. Piersigilli)

1. Andare in auto non mi piace molto.	A	B
2. I primi due mesi li passo con la mamma.	A	B
3. Domani vado a lezione.	A	B
4. Io, in macchina, mi siedo sempre dietro.	A	B
5. In vacanza mi porterò la mia palla preferita.	A	B
6. Mi piace tantissimo correre all'aperto.	A	B
7. Questo caldo mi distrugge.	A	B
8. Per me, è importante imparare a stare in compagnia.	A	B

2º test di progresso

A Leggi il testo e indica le informazioni presenti.

L'indomani mattina venne da me Maria Rosa, la madre di Berardo.

«Hai visto mio figlio?» mi chiese. «Ha dormito in casa tua? Non ho chiuso occhio ad aspettarlo.»

Le sue parole assai mi sorpresero, ma non dissi alla madre quello che mi fecero pensare.

La povera vecchia risalì a stento l'intero vicolo e la vidi affacciarsi alla porta di Scarpone per domandare anche a lui se avesse visto Berardo.

In campagna incontrai proprio Berardo.

«Venivo a trovarti» mi disse con una voce veramente strana e nuova e senza guardarmi in faccia. «Dovrei parlarti.»

«Tua madre ti cerca di casa in casa» gli risposi.

Ma Berardo non vi fece caso e si mise a camminare accanto a me, indovinando dal tono della mia voce che io sapevo tutto.

«Non devi arrabbiarti» mi disse ad un tratto. «Quello che è successo doveva succedere.»

…

«Che cosa pensi di fare?» allora gli chiesi.

«Mi sposerò» disse «ma prima di tutto e al più presto devo mettermi a posto, devo rifarmi la terra. Penso che tu sarai d'accordo.»

«Eh, non è facile, oggi» osservai. «Tu dovresti saperlo, Berardo, non è facile, hai già tentato un paio di volte e non t'è riuscito.»

«Riproverò» mi disse. «Ritenterò. Non si tratta più soltanto di me, ora; non è in gioco solo la mia vita, ora; e mi sento una forza dieci volte più grande. Vedrai.»

«Non dipende dalla forza» avrei voluto dirgli «non dipende dalla volontà, non dipende dal bisogno; rifarsi la terra a Fontamara non è facile.»

Ci salutammo, ma tutto quel giorno pensai a Berardo e al bisogno urgente in cui si trovava di rifarsi la terra al più presto, visto che doveva sposare Elvira. Mentre lavoravo … riflettei alla triste e pericolosa condizione di Elvira e mi convinsi che l'unica via di uscita poteva essere di trovare Berardo, per cinque o sei mesi, qualche lavoro pesante in città, di quei lavori che i cittadini rifiutano e che sono pagati meglio dei lavori di campagna, e al ritorno comprarsi qualcosa. Ma a chi rivolgersi per avere un buon consiglio?

…

«Qui non resto» ripeteva Berardo «Devo andar via. Ma dove?»

Ognuno vedeva che Berardo soffriva. Non era più l'uomo di prima, non scherzava, non rideva, evitava la compagnia.

«Solo don Circostanza può aiutarti» fui costretto a dirgli. «Lui ha molte relazioni.»

Berardo, Scarpone e io avevamo un piccolo credito con don Circostanza per un lavoro che gli avevamo fatto l'anno prima. Una domenica mattina andammo da lui per essere soddisfatti del nostro avere e per dar l'occasione a Berardo di chiedergli consiglio e aiuto per trovare un'occupazione in città.

Adattato da *Fontamara* di Ignazio Silone

1. Maria Rosa non è per niente preoccupata.
2. Maria Rosa non ha dormito tutta la notte.
3. Il protagosta incontra Berardo nella piazza del paese.
4. Berardo vuole comprarsi un pezzo di terra da lavorare.
5. Elvira è la moglie di Berardo.
6. Per mettere da parte un po' di soldi, Berardo potrebbe lavorare in città.
7. Berardo non ha nessuna voglia di andare via da Fontamara.
8. Don Circostanza deve dei soldi al protagonista, a Berardo e a Scarpone.

B **Leggi il testo e rispondi alla domanda.**

Non mi permetterei mai di cestinare una lettera dei miei lettori! E comunque voglio dare un piccolo consiglio anche a te, cara Francesca. La "dieta" che stai portando avanti è troppo schematica. Sono d'accordo con te che devi perdere alcuni chili, ma 10 sono un po' troppi. Perché non chiedi alla redazione di Gente le tabelle dietetiche che sono state pubblicate durante la primavera scorsa e raccolte adesso in un nuovo numero? Si tratta di una dieta equilibrata che puoi provare a seguire anche tu. Ciao.

Tratto da Gente

Cosa avrà chiesto alla giornalista la lettrice?
(Da un minimo di 15 ad un massimo di 25 parole)

....

....

....

C **Completa il testo. Inserisci la parola mancante negli spazi numerati. Usa una sola parola.**

a) Ha ottenuto la pensione di guerra a 96 anni. Protagonista (1)................................ vicenda un abitante di Raffadali (Agrigento). Reduce dalle operazioni belliche dell'Africa orientale, durante la seconda (2)................................ mondiale, aveva chiesto 36 anni fa la pensione di guerra, sostenendo che la colite cronica di cui soffriva era da mettere (3)................................ relazione al suo impiego in Africa. La commissione medica superiore lo esclude. La Corte dei conti gli ha dato finalmente (4)................................ .

b) Una barbona di 65 anni che viveva sui marciapiedi di un quartiere di Parigi da 25 anni nascondeva 40mila euro nelle (1)................................ cinque valigie. A scoprirlo è stata la squadra di assistenza ai senzatetto quando sono intervenuti per (2)................................ la donna nel centro di accoglienza dei clochard. Gli agenti hanno consegnato il bottino al commissariato di zona. Era (3)................................ appropriato il soprannome "La principessa" che gli abitanti del quartiere (4)................................ avevano dato ironicamente per il trucco marcato.

Adattato da http://it.notizie.yahoo.com/ansa

D Collega le frasi con le opportune forme di collegamento. Se necessario, elimina o sostituisci alcune parole. Trasforma, dove necessario, i verbi nel modo e nel tempo opportuni.

1. - Alessandra vive con la nonna
    - la nonna di Alessandra è molto simpatica
    - alla nonna di Alessandra piace molto la compagnia della nipote

    ....

    ....

2. - abbiamo pensato di fare una crociera
    - non la settimana in montagna
    - vogliamo visitare i paesi mediterranei

    ....

    ....

3. - domani mattina vado in banca
    - domani è l'ultimo del mese
    - se in banca trovo una fila lunghissima non mi fermo

    ....

    ....

4. - Giovanni aveva un amico
    - Giovanni si fidava troppo del suo amico
    - alla fine il suo amico rubò a Giovanni il computer portatile

    ....

    ....

5. - oggi è il mio compleanno
    - oggi è il compleanno di Francesca
    - voglio telefonare prima io a Francesca

    ....

    ....

6. - ho comprato una nuova moto
    - ho altre due moto nel garage
    - questa nuova moto è ideale per i viaggi lunghi

    ....

    ....

....

....

....

....

....

....

....

....

....

....

....

....

....

....

....

....

Istruzioni del gioco

Materiale necessario: il tabellone con 30 caselle, un dado e un segnaposto (per esempio, una moneta) per ogni giocatore.

1. Con ogni tabellone possono giocare da 1 a 4 studenti, oppure due coppie.
2. Inizia per primo il giocatore che lancia il dado e ottiene il numero più alto.
3. Vince chi dalla *Partenza* arriva per primo alla casella 30.
4. A turno ogni giocatore lancia il dado e avanza di tante caselle quante indicate dal dado. Nella casella di arrivo, legge e svolge il compito riportato.
5. Se il giocatore svolge correttamente il compito, si ferma sulla casella o va a quella indicata. Se non riesce a rispondere ritorna alla casella precedente. In ogni caso, il turno passa all'altro giocatore.
6. Per vincere, bisogna raggiungere la casella 30 con un lancio esatto. Se il giocatore la supera, deve tornare indietro di tante caselle quanti sono i punti in più (per esempio, se sono alla casella 28 e il lancio del dado mi dà 6, arrivo alla casella 30 e poi torno indietro fino alla 26).

Gioco unità 1-5

Edizioni Edilingua

Hai un colloquio di lavoro: in 1 minuto al massimo devi convincere il direttore ad assumerti!

Sei il responsabile del personale: fai 5 domande a un candidato.

Il calcio con meno giocatori si chiama…

Chi trova un amico… Finisci tu il proverbio!

Nomina almeno due modi per mantenersi giovani e in buona salute.

Fai una frase iniziando con "(non) credo che…" e usando almeno due verbi al congiuntivo.

Per diventare dottore bisogna studiare…

Un abitante di Bologna è un…

Vai a pagina 79 del Libro dello studente e racconta in breve la storia illustrata. Hai 1' di tempo! Se no, torni alla casella 21.

Un tuo compagno è arrivato al vostro appuntamento in ritardo e ti chiede scusa. Cosa rispondi?

Lessi, risi e mossi sono tre passati remoti. Ma qual è il loro infinito?

Parla della città dove vivi dal punto di vista ecologico. È inquinata? C'è molto verde? È pulita o sporca? Hai 30 secondi di tempo.

Chi ti ha regalato questo bell'orologio?

PARTENZA

Hai 1-2 minuti per raccontare la favola di Cappuccetto Rosso.

Conosci questo personaggio? Chi è? Perché è importante nella storia d'Italia?

Disponibile in versione interattiva
anche nel software per la LIM di
Nuovo Progetto italiano 2

Istruzioni a pagina 167

8 Fai una frase con il pronome relativo *cui*.

 **9** In quale città si trova la famosa Basilica di San Marco?

10 Come inizieresti un'e-mail formale? E come la chiuderesti?

23 Due sport per cui l'Italia è famosa.

24 Qual è il voto più alto che si può avere ad un esame universitario in Italia?

 **11** Fai almeno due paragoni tra Milano e Napoli e la tua città.

 **30** ARRIVO Parla del caffè in Italia e nel tuo paese: le abitudini sono simili? E i tipi di caffè? Hai 30 secondi di tempo.

25 Vuoi vendere il tuo miniappartamento di 50 mq: descrivilo a un amico.

 **12** Prenota una camera di albergo. Un tuo compagno / l'insegnante farà la parte del receptionist.

 **27** Un tuo amico è bravo nelle materie scientifiche. Quali facoltà universitarie gli consiglieresti?

26 Fai una frase sulla storia del tuo Paese usando il passato remoto.

13 Comparativo e superlativo di *buono* e *cattivo*.

16 Il passato remoto di *dare*.

15 Sei stato in un albergo, ma non sei soddisfatto. In un minuto, spiega il perché.

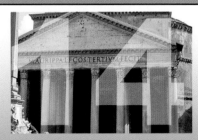 **14** Il nome di almeno due luoghi o di due monumenti famosi a Roma.

Prima di... cominciare

1. a.-7, b.-5, c.-1, d.-3, e.-10, f.-8, g.-6, h.-9

2. 1. fareste, 2. si sono conosciuti, 3. c'era, 4. dammi, 5. mi sono espresso/a, 6. era partito, 7. rimangono/rimarranno, 8. sarai

3. - 4. - 5. - 8. *Risposta libera*

6. *Risposta suggerita.* **a.**: 1. fantascienza, western; 2. Natale, Ferragosto; 3. camera da letto, cucina, bagno; 4. Primavera, marzo, settembre; **b.** da sinistra a destra: 1, 10, 4, 2, 6, 7, 8, 9, 3, 5

7. 1. al, 2. a, 3. l', 4. gli, 5. gli, 6. gli, 7. A, 8. Lo, 9. vi, 10. a, 11. li, 12. mi

Unità 1

1. 1-b, 2-a, 3-d, 4-c

2. 1-c, 2-d, 3-a, 4-b

3. 1. classico, scientifico, linguistico, artistico; 2. a 6 anni; 3. chi, quale, che/che cosa/cosa, quanto, dove, quando, perché; 4. glieli

4. *orizzontale*: capitolo, mensa, maestra, corso, lingue
verticale: lettere, materia, alunno

Unità 2

1. 1-b, 2-d, 3-a, 4-c

2. 1-a, 2-d, 3-c, 4-b

3. 1. va sano e va lontano; 2. tra gli anni '50 e '60; 3. te ne; 4. che, il quale, con il quale, a cui, il cui ecc.; 5. Gentile sig. Albertini, Spettabile Ditta

4. 1. colloquio di lavoro, 2. disoccupato, 3. licenziare, 4. promuovere, 5. risparmiare, 6. prelevare, 7. assumere, 8. frequentare

Unità 3

1. 1-d, 2-c, 3-e, 4-a, 5-b

2. 1-b, 2-e, 3-d, 4-a, 5-c

3. 1. 3.000.000, 1.500.000; 2. Venezia, Firenze; 3. camera doppia; 4. grandissimo, malissimo; 5. più/meno che, tanto ... quanto

4. 1. **t**uristi, **a**lbergo; 2. **c**redito, **s**conto; 3. **v**olo, **b**iglietti; 4. **a**genzia, **p**renotare; 5. **c**olloquio, **p**osto

Unità 4

1. 1-d, 2-c, 3-b, 4-a, 5-e

2. 1-d, 2-e, 3-a, 4-b, 5-c

3. 1. francesi, spagnoli, austriaci; 2. vent'anni; 3. il fiorentino; 4. fece; 5. facilmente

4. *orizzontale*: re, Signoria, volo, porto, fascismo
verticale: medioevo, Resistenza, agenzia, esercito, bagaglio/bagagli

Unità 5

1. 1-e, 2-a, 3-b, 4-c, 5-d

2. 1-b, 2-*frase in più*, 3-a, 4-e, 5-c, 6-d

3. 1. ciclismo, motociclismo; 2. automobilismo, sci, nuoto, atletica leggera; 3. calcio, pallavolo, pallacanestro; 4. forse; 5. legga, dica

4. 1. gare, 2. a patto che, 3. impossibile, 4. sport, 5. occupazione

Unità 1
pagina 12

I pronomi diretti

Mi senti bene?
Cos'hai? Non *ti* vedo molto allegro oggi.
Lo sapevi anche tu?
Quando vedo Ilaria *la* saluto.
Professore, *La* ringrazio di tutto.
Nostra figlia *ci* invita spesso a casa sua.
Ragazzi, ormai *vi* conosco molto bene.
Questi cd non *li* ho ancora ascoltati.
Ma tu, Maria e Gilda, *le* vedrai o no?

I pronomi indiretti

Cosa *mi* regali per il mio compleanno?
Ti piace il gelato al cioccolato?
Gli dirò quel che è successo.
Le ho raccontato tutta la verità.
Signor Marini, *Le* chiedo scusa.
Ci ha mandato una cartolina da Torino.
Vi auguro un buon fine settimana.
Ai miei *gli* ho spiegato tutto.
Gli chiederò il perché alle ragazze.

Unità 2
pagina 26

Spesso quando *cui* è preceduto dalla preposizione *a*, questa diventa facoltativa:
La persona (*a*) *cui* sono più legato nella mia famiglia, è mia madre.

Particolarità del pronome *cui*

Il pronome relativo **cui** ha valore di complemento di specificazione (*di chi? di che cosa?*) quando è preceduto da un articolo determinativo, il quale concorda con il sostantivo che segue (**i** cui **fratelli**).

Non ammetteremo candidati, *le cui* domande arriveranno oltre il termine previsto. (*le domande dei quali*)
Italo Svevo, *il cui* vero nome era Ettore Schmitz, è nato a Trieste nel 1861. (*il nome del quale*)
Questo è l'elenco delle università *i cui* diplomi di laurea valgono anche all'estero. (*i diplomi delle quali*)
Ho un appuntamento con l'ing. Taddei, *la cui* offerta mi sembra molto interessante. (*l'offerta del quale*)

Forme particolari nell'uso di *cui* relativo

Tutti si sono affrettati a salutare il presidente *alle cui*
preoccupazioni, però, non è stata data nessuna risposta.   (*alle preoccupazioni del quale*)
Alberto, *alla cui* festa c'ero anch'io, ha compiuto cinquant'anni.   (*alla festa del quale*)
I ragazzi, *del cui* comportamento sono state avvertite
le famiglie, rimarranno in classe.   (*del comportamento dei quali*)

Unità 3
pagina 41

Farcela

Purtroppo non *ce la faccio* da solo.
Ce la fai a portare tutte queste valigie?
Ha fatto di tutto ma non *ce la fa*.
Vedrai che *ce la facciamo* ad arrivare presto!
Ragazzi, *ce la fate* o vi serve una mano?
Ce la fanno solo gli studenti più bravi in questa scuola!

Andarsene

Ragazzi, io *me ne vado*! Sono stanco.
Te ne vai di già? Ma è ancora presto.
Signora, perché *se ne va*?
Mamma, noi *ce ne andiamo*. A domani!
E così... *ve ne andate* subito?!
I ragazzi *se ne vanno* senza dire niente.

pagina 49

Forme particolari di superlativo

Buono	Sei veramente fortunato: il tuo è un *ottimo* posto!
Cattivo	È una persona in gamba, ma ha un *pessimo* carattere.
Grande	Va' avanti: ti seguo con la *massima* attenzione.
Piccolo	Cerchiamo di organizzare la festa con la *minima* spesa possibile.

Unità 4
pagina 58

Uso del passato remoto

- in azioni lontane nel tempo, azioni storiche, azioni non legate al presente;
- in azioni che il parlante non trova interessanti e nelle quali non è coinvolto emotivamente e, scegliendo il passato remoto al posto del passato prossimo, mostra appunto questo disinteresse, questa "lontananza emotiva" dall'azione stessa. Si tratta quindi di una scelta di stile e soggettiva;
- nella lingua scritta (soprattutto fiabe e racconti letterari) e meno nella lingua parlata (fatta eccezione per il Sud e parte del Centro Italia dove si parla preferendo il passato remoto al passato prossimo).

pagine 60 e 62

Verbi irregolari al passato remoto

avere: *ebbi, avesti, ebbe, avemmo, aveste, ebbero*
essere: *fui, fosti, fu, fummo, foste, furono*
accorgersi: *mi accorsi, ti accorgesti, si accorse, ci accorgemmo, vi accorgeste, si accorsero*
aprire: *aprii (apersi), apristi, aprì (aperse), aprimmo, apriste, aprirono (apersero)*
dare: *diedi (detti), desti, diede (dette), demmo, deste, diedero (dettero)*
dire: *dissi, dicesti, disse, dicemmo, diceste, dissero*
fare: *feci, facesti, fece, facemmo, faceste, fecero*
mettere: *misi, mettesti, mise, mettemmo, metteste, misero*
stare: *stetti, stesti, stette, stemmo, steste, stettero*
vedere: *vidi, vedesti, vide, vedemmo, vedeste, videro*

assumere: *assunsi*	dirigere: *diressi*	piangere: *piansi*	scendere: *scesi*
bere: *bevvi*	discutere: *discussi*	porre: *posi*	scrivere: *scrissi*
cadere: *caddi*	distruggere: *distrussi*	prendere: *presi*	spendere: *spesi*
chiedere: *chiesi*	escludere: *esclusi*	proteggere: *protessi*	succedere: *succedetti*
chiudere: *chiusi*	esprimere: *espressi*	rendere: *resi*	tacere: *tacqui*
cogliere: *colsi*	giungere: *giunsi*	ridere: *risi*	tenere: *tenni*
condurre: *condussi*	leggere: *lessi*	rimanere: *rimasi*	togliere: *tolsi*
conoscere: *conobbi*	muovere: *mossi*	risolvere: *risolsi*	trarre: *trassi*
convincere: *convinsi*	nascere: *nacqui*	rispondere: *risposi*	venire: *venni*
correre: *corsi*	nascondere: *nascosi*	rompere: *ruppi*	vincere: *vinsi*
decidere: *decisi*	perdere: *persi*	sapere: *seppi*	vivere: *vissi*
difendere: *difesi*	piacere: *piacqui*	scegliere: *scelsi*	volere: *volli*

pagina 62

Numeri romani

I = 1   II = 2   III = 3   IV = 4   V = 5   VI = 6   VII = 7   VIII = 8   IX = 9   X = 10
XX = 20   XXX = 30   XL = 40   L = 50   C = 100   D = 500   CM = 900   M = 1.000

Unità 5
pagina 74

Verbi irregolari al congiuntivo

Infinito	Indicativo presente	Congiuntivo presente			
andare	vado	vada	andiamo	andiate	vadano
dire	dico	dica	diciamo	diciate	dicano
fare	faccio	faccia	facciamo	facciate	facciano
salire	salgo	salga	saliamo	saliate	salgano
scegliere	scelgo	scelga	scegliamo	scegliate	scelgano
uscire	esco	esca	usciamo	usciate	escano
venire	vengo	venga	veniamo	veniate	vengano
volere	voglio	voglia	vogliamo	vogliate	vogliano
porre	pongo	ponga	poniamo	poniate	pongano
potere	posso	possa	possiamo	possiate	possano

pagina 76

Uso del congiuntivo (I)

Usiamo il congiuntivo in frasi dipendenti da altre che esprimono generalmente soggettività, volontà, incertezza, stato d'animo ecc., ma solo quando i due verbi hanno soggetti diversi. In particolare quando esprimono:

Opinione soggettiva:	*Credo / Penso / Direi che* tu debba accettare l'offerta.
	Immagino / Suppongo / Ritengo che tutto sia finito bene.
	Mi pare / Mi sembra / Ho l'impressione che lei fumi troppo.
Incertezza:	*Non sono sicuro / certo che* Mario sia leale.
	Dubito che Anna abbia pensato a questa cosa.
	Non so se / Ignoro se si sia già laureato.
Volontà:	*Voglio / Non voglio che* tu faccia tardi stasera.
	Desidero / Preferisco che voi restiate a casa.
Stato d'animo:	*Sono felice / contento che* tutto sia andato bene.
	Mi fa piacere / Mi dispiace che le cose stiano così.
Speranza:	*Spero / Mi auguro che* tutto finisca bene.
Attesa:	*Aspetto che* arrivi mia madre per uscire.
Paura:	*Ho paura / Temo che* lui se ne vada.

Verbi o forme impersonali:

Bisogna / Occorre che voi torniate presto.
Può darsi che Tiziana non possa venire con noi.
Si dice / Dicono che Carlo e Lisa si siano lasciati.
Pare / Sembra che siano ricchi sfondati.

(non) {
È necessario / importante che io parta subito.
È opportuno / giusto che questa storia finisca qui.
È meglio che io inviti tutti quanti?
È normale / naturale / logico che ci sia traffico a quest'ora?
È strano / incredibile che Gianna abbia reagito così male.
È possibile / impossibile che tutti siano andati via.
È probabile / improbabile che lei sappia già tutto.
È facile / difficile che uno dia l'impressione sbagliata.
È un peccato che abbiate perso questo spettacolo.
}

È ora che tu mi dica tutta la verità.
È bene che siate venuti presto.
È preferibile che io non esca con voi: sono di cattivo umore!

pagina 78

Uso del congiuntivo (III)

chiunque	Lui litiga con chiunque tifi per un'altra squadra.
qualsiasi	Chiamami per qualsiasi cosa tu abbia bisogno.
qualunque	Qualunque cosa gli venga in mente, la dice senza pensarci!
(d)ovunque	Dovunque tu vada, io verrò con te!
comunque	Non devi perderti di coraggio, comunque stiano le cose.
il ... più	È la donna più bella che abbia mai conosciuto.
più ... di quanto	Il fumo è più nocivo di quanto tu possa immaginare.
l'unico / il solo che	Giorgio è l'unico / il solo che possa aiutarti in questa situazione.
non c'è nessuno che	Non c'è nessuno che ti voglia tanto bene quanto la tua mamma!
augurio	Che Dio sia con te!
desiderio	Vogliono venire? Che vengano! Li aspettiamo con piacere!
dubbio	Che siano già partiti?
domanda indiretta	Mi chiedo se tu mi voglia veramente bene.
alcune frasi relative	Sara è nervosa: devo trovare una ragazza che abbia più pazienza.
	Silvia cerca un uomo che sia ricco e stupido! Perché non ci provi tu?!
Che...	Che loro siano poveri, lo so bene. **ma**: So bene che loro sono poveri.
(inversione)	Che mi abbia tradito è sicuro. **ma**: È sicuro che mi ha tradito.

Appendice situazioni comunicative

Unità 1
pagina 19

*Domande possibili per **A**:*
- Sono previsti corsi intensivi / specifici?
- L'alloggio è solo in famiglie?
- Sono previste gite o escursioni nei fine settimana?

Unità 2
pagina 35

Curriculum Vitae

INFORMAZIONI PERSONALI
Nome: Paolo Freddi
Data e luogo di nascita: 5 luglio 1980, Torino
Stato civile: celibe
Indirizzo: Corso dei Mille, Torino
Telefono: 340.112233
E-mail: freddino@tiscali.it
Nazionalità: italiana

ISTRUZIONE E FORMAZIONE
TITOLI DI STUDIO
a.a. 2004-2005: Politecnico di Torino. Laurea in INGEGNERIA ELETTRONICA (votazione: 110/110).
a.a. 2005-2006: Politecnico di Milano. Master in TECNOLOGIA DELL'INFORMAZIONE.

CONOSCENZA DELLE LINGUE
INGLESE: Ottima comprensione e produzione scritta e orale.
FRANCESE: Buona comprensione scritta e orale, buona produzione scritta e orale.

PRATICA DEI SISTEMI INFORMATICI
Buona conoscenza dei sistemi operativi MS-DOS, WINDOWS e Mac Os.
Buona conoscenza dei programmi Office e AppleWorks. Ottima conoscenza di Word, Publisher e Adobe Photoshop.

ESPERIENZE LAVORATIVE
2006-2007: Tirocinio di sei mesi presso il Gruppo *Star Communication* come membro dello staff tecnico degli studi di registrazione audio-visivi.

*Domande per **A** (tracce):*
- Vorrei sapere qualcosa di più sul trattamento economico.
- Qual è l'orario di lavoro?
- Se tutto va bene, quando avreste bisogno di me?

Unità 3
pagina 50

*Tracce per **A**:*
- Vorrei avere delle informazioni su un vaggio in Italia di 4-5 giorni, economico e interessante.
- Mi piacerebbe visitare Roma e le città più importanti d'Italia.
- Gli alberghi di che categoria sono?
- Cosa significa "mezza pensione"?
- Con quale compagnia aerea voleremo?
- Che cosa è compreso nel prezzo e cosa non lo è?

Unità 5
pagina 79

Lista, secondo gli psicologi, delle maggiori cause che provocano stress:

1. Problemi familiari
2. Matrimonio
3. Perdita del lavoro
4. Problemi nel lavoro / a scuola
5. Gravidanza
6. Cambiamento situazione economica
7. Cambiamento abitudini personali
8. Difficoltà economiche
9. Figlio/a che lascia la casa
10. Frequentare una nuova scuola
11. Fine di una relazione sentimentale
12. Cambiamento di casa
13. Esame importante
14. Lite con un amico

Unità 1
pagina 19

*Materiale per **B**:*

CORSI ESTIVI

classico	intensivo	super-intensivo	lingua e cultura
2 ore al giorno per 4 settimane (40 ore) € 300	4 ore al giorno per 4 settimane (80 ore) € 470	6 ore al giorno per 4 settimane (120 ore) € 680	lingua: 4 ore al giorno cultura: 5 ore a settimana per 4 settimane (100 ore) € 750

Corsi supplementari	settimane	ore	prezzo
Cucina italiana	3	12	€ 150
Arte italiana	3	12	€ 170

Periodi dei corsi

1 giugno – 1 luglio	2 luglio – 2 agosto	3 settembre – 3 ottobre

Alloggio   prezzi indicativi (a persona)

In famiglia con colazione
Stanza singola	€ 400-480
Stanza doppia	€ 300-350

Appartamento con altri studenti (con uso cucina)
Stanza singola	€ 330-370
Stanza doppia	€ 270-330

Sono inoltre previste due escursioni:
1. Visita di Firenze e dei suoi monumenti più importanti (seconda settimana)
2. Gita nei dintorni di Firenze: S. Gimignano, Siena e Pisa (terza settimana)

Unità 2
pagina 35

*Materiale per **B**:*

Curriculum Vitae

INFORMAZIONI PERSONALI
Nome: Paolo Freddi
Data e luogo di nascita: 5 luglio1980, Torino
Stato civile: celibe
Indirizzo: Corso dei Mille, Torino
Telefono: 340.112233
E-mail: freddino@tiscali.it
Nazionalità: italiana

ISTRUZIONE E FORMAZIONE
TITOLI DI STUDIO
a.a. 2004-2005: Politecnico di Torino. Laurea in INGEGNERIA ELETTRONICA (votazione: 110/110).
a.a. 2005-2006: Politecnico di Milano. Master in TECNOLOGIA DELL'INFORMAZIONE.
CONOSCENZA DELLE LINGUE
INGLESE: Ottima comprensione e produzione scritta e orale.
FRANCESE: Buona comprensione scritta e orale, buona produzione scritta e orale.

PRATICA DEI SISTEMI INFORMATICI
Buona conoscenza dei sistemi operativi MS-DOS, WINDOWS e Mac Os.
Buona conoscenza dei programmi Office e AppleWorks. Ottima conoscenza di Word, Publisher e Adobe Photoshop.

ESPERIENZE LAVORATIVE
2006-2007: Tirocinio di sei mesi presso il Gruppo *Star Communication* come membro dello staff tecnico degli studi di registrazione audio-visivi.

*Domande per **B** (tracce):*
- Sarebbe disposto a fare viaggi di lavoro all'estero almeno una volta al mese?
- Secondo lei, quali sono le sue qualità più grandi, nel lavoro?
- Che cosa sa della nostra azienda?
- Sarebbe disposto ad un periodo di prova di tre mesi prima di cominciare?

Unità 3
pagina 50

*Materiale per **B***:

AGENZIA DI VIAGGI *GIRAMONDO*
presenta la sua offerta del mese:
LE CITTÀ DEI SOGNI
CINQUE GIORNI A ROMA-FIRENZE-VENEZIA

Durata: 5 giorni - 4 notti
Sistemazione: mezza pensione in alberghi di 2 e 3 stelle.
Volo: Alitalia
Lingue disponibili: inglese, francese, italiano, spagnolo, tedesco, giapponese
Tappe: Roma, Firenze, Venezia
Prezzo: 990 euro a persona

1° giorno: Roma
Arrivo all'aeroporto di Fiumicino e accoglienza. Visita ai Fori Imperiali e al Colosseo. Aperitivo in Piazza Navona. Cena e pernottamento in albergo.

2° giorno: Roma e Firenze
S. Pietro e i musei Vaticani, piazza di Spagna, Trinità dei Monti, Campidoglio. Pomeriggio: partenza per Firenze.

3° giorno: Firenze
Visita guidata del Museo dell'Accademia (*David* di Michelangelo) e passeggiata nel centro storico con guida bilingue.

4° giorno: Firenze
Ponte Vecchio, Galleria degli Uffizi, Giardini di Boboli. Pomeriggio: partenza per Venezia.

5° giorno: Venezia
Visita guidata della Cattedrale di San Marco, Ponte dei Sospiri e Palazzo dei Dogi. Sight-seeing in vaporetto per il Canale Grande.
Alle 15 imbarco per il volo di ritorno.

• *Sono inclusi nel prezzo: biglietti per l'entrata nei musei e la visita a monumenti, spostamenti in pullman da una città all'altra.*

*Tracce per **B***:

- In Italia, con "mezza pensione" si intende un trattamento che comprende pernottamento, prima colazione e pranzo o cena, a scelta.
- Il prezzo non comprende: i pranzi o le cene al di fuori della mezza pensione, le bevande e i cibi consumati durante il resto della giornata e… il volo!
- Non è possibile cancellare il viaggio. In caso di impossibilità l'agenzia non restituirà alcuna parte dell'importo pagato dal cliente.

Approfondimento grammaticale

Unità 1

I pronomi combinati

All'interno di una frase, i pronomi personali che sostituiscono un oggetto, quindi in funzione di complemento ogget-to, possono essere diretti e indiretti, di forma tonica e di forma atona (*Questo libro lo leggerei volentieri. A te piace?*).

	Forme toniche		Forme atone	
soggetto	pronome diretto	pronome indiretto	pronome diretto	pronome indiretto
io	me	a me	mi	mi
tu	te	a te	ti	ti
lui	lui	a lui	lo	gli
lei	lei	a lei	la	le
Lei	Lei	a Lei	La	Le
noi	noi	a noi	ci	ci
voi	voi	a voi	vi	vi
loro	loro	a loro	li	gli
			le	

Abbiamo i pronomi combinati quando i pronomi indiretti atoni (*mi, ti, gli, le, Le, ci, vi, gli*), il pronome riflessivo *si*, la particella *ci* sono seguiti da un altro pronome diretto atono (*lo, la, li, le*) o dalla particella *ne*.

Il pronome indiretto, il pronome riflessivo *si* e la particella *ci* precedono sempre il pronome diretto o il *ne*.

Nei pronomi combinati:

- i pronomi indiretti *mi, ti, ci, vi* diventano rispettivamente me, te, ce, ve (*Il cellulare me lo regala mia madre*).

- i pronomi indiretti alla terza persona singolare (*gli, le, Le*) e plurale (*gli*) diventano gli, aggiungono una -e- e forma-no con i pronomi diretti e il *ne* una sola parola: glielo, gliela, gliel', glieli, gliele, gliene (-*Quanti esami ha ancora tuo fratello per laurearsi? -Gliene rimangono tre*).

	+ lo	+ la	+ l'	+ li	+ le	+ ne
mi	me lo	me la	me l'	me li	me le	me ne
ti	te lo	te la	te l'	te li	te le	te ne
gli/le/Le	glielo	gliela	gliel'	glieli	gliele	gliene
ci	ce lo	ce la	ce l'	ce li	ce le	ce ne
vi	ve lo	ve la	ve l'	ve li	ve le	ve ne
gli	glielo	gliela	gliel'	glieli	gliele	gliene
si	se lo	se la	se l'	se li	se le	se ne
ci	ce lo	ce la	ce l'	ce li	ce le	ce ne

I pronomi combinati:

- in genere, precedono il verbo (-*Porti tu i libri a Paolo? -Sì, glieli porto io*).
- seguono il verbo quando abbiamo un verbo al gerundio, al participio passato o all'infinito, che perde la -*e* finale (*Che belle biciclette, ho intenzione di comprarmene una*) o all'imperativo (*Lucia non puoi prendere sempre il mio computer, compratelo!*), ma non alla terza persona singolare e plurale (*Glielo dica lei, io non ne ho il coraggio*). Quando si ha l'imperativo alla forma negativa, i pronomi possono anche precedere il verbo (*Non comprartelo! / Non te lo comprare!*). Con le forme tronche dell'imperativo dei verbi *dare, dire, fare, stare* e *andare* (*da', di', fa', sta', va'*), i pronomi atoni raddoppiano la consonante iniziale (*Dimmelo subito! / Fattelo da solo!*); non succede con il pronome *gli* e i suoi derivati (*Digli che arriviamo domani!*).
- con i verbi *potere, dovere, volere* e *sapere*, seguiti da un infinito, i pronomi combinati possono o precedere il verbo (*Glielo devo dire*) oppure seguirlo, in questo caso formano con l'infinito una sola parola (*Devo dirglielo*).

I pronomi combinati nei tempi composti
Quando usiamo i pronomi combinati con i tempi composti, il participio passato concorda:

- in genere e numero con i pronomi diretti *lo, la, li, le* (*Ti piacciono i miei pantaloni nuovi? Me li ha regalati Gabriella*).
- quando c'è *ne*, con il complemento oggetto, per genere con il nome e per numero con la quantità indicata (-*Quante email ti ha spedito Giorgio? -Me ne ha spedite tante*).

I pronomi *glielo* e *gliela* prendono l'apostrofo prima del verbo *avere* (*ho, hai, ha, abbiamo, avete, hanno*) e, di solito, prima di un verbo che inizia per vocale (*Ho dato la mia chitarra a Dario perché gliel'avevo promessa*).

Aggettivi e pronomi interrogativi
- **chi?**
  È invariabile, lo usiamo in riferimento a persone e ha solo funzione di pronome (*Chi è al telefono?*).
- **che? / che cosa? / cosa?**
  È invariabile, lo usiamo in riferimento a cose, può essere aggettivo e pronome e possiamo trovarlo nelle interrogative dirette e nelle interrogative indirette, cioè proposizioni introdotte da un verbo e senza il punto interrogativo (*Che giorno è oggi? / Che fai stasera, usciamo? / Ti chiedo che fai stasera*).
  Come pronome può essere sostituito da *che cosa?* e *cosa?* (*Che cosa/Cosa fai stasera, usciamo? / Ti chiedo che cosa/cosa fai stasera*).
- **quale/i?**
  È variabile nel numero ma non nel genere. Può essere aggettivo e pronome e possiamo trovarlo nelle interrogative dirette e nelle interrogative indirette (*Non so quale libro scegliere / Quali libri vuoi? / Quale di questi libri sceglieresti?*).
- **quanto/a/i/e?**
  È variabile nel genere e nel numero. Può essere aggettivo e pronome e possiamo trovarlo nelle interrogative dirette e nelle interrogative indirette (*Mi chiedo quante città tu abbia visitato / Quanti soldi hai speso? / Non voglio neppure pensare quanto ci costerebbe cambiare casa*).

Avverbi interrogativi
Tra gli avverbi interrogativi ricordiamo:

- **come?** (*Come stanno i tuoi genitori, Tania? / Com'è riuscito Giorgio a prendere 30 all'esame?*).
- **dove?** (*Dove sono i miei appunti? / Di dov'è Luca? / Dov'ero? Qui in biblioteca che studiavo*).
- **quando?** (*Quando venite da me a cena, ragazzi?*).
- **quanto?** (*Quanto ti è costato il viaggio in Canada?*).
- **perché? / come mai?** (*Perché non mi hai detto che volevi andare al cinema? / Come mai leggi questo libro, da quando ti piace Umberto Eco?*).

In quanto avverbi sono invariabili e introducono una domanda diretta.

quando? e *perché?* possono essere rafforzati con *mai* per dare alla frase un significato polemico o enfatico (*Quando mai abbiamo visto programmi di sport in questa casa? / Perché mai avrebbe dovuto dirci bugie?*).
Locuzioni avverbiali: Da dove?, Da quando?

Unità 2

I pronomi relativi
I pronomi relativi, che possono riferirsi sia a persone che a cose, sono:

● **che**

È invariabile, non è mai preceduto da una preposizione e nella frase relativa secondaria può sostituire il soggetto (*Giovanni, che mi ha prestato gli appunti per l'esame, è un mio amico di università*) o il complemento oggetto (*Il film, che abbiamo visto ieri sera, mi è piaciuto molto*).

● **quale**

È variabile nel genere (il quale / la quale) e nel numero (i quali / le quali) e concorda con il nome a cui si riferisce (*Ecco un bancomat dal quale prelevare un po' di soldi*).

Possiamo usarlo al posto di che, in contesti più formali, soltanto quando quest'ultimo sostituisce il soggetto (*Giovanni, il quale [che] mi ha prestato gli appunti per l'esame, è un mio amico di università*), e per eliminare qualsiasi ambiguità (*Ho incontrato la ragazza di Michele che lavora in banca* [Chi lavora in banca? Michele o la sua ragazza? Se usiamo il pronome relativo il/la quale, riusciamo ad essere più chiari] *Ho incontrato la ragazza di Michele, la quale lavora in banca* [la ragazza lavora in banca] / *Ho incontrato la ragazza di Michele, il quale lavora in banca* [lo stesso Michele lavora in banca]).

Possiamo anche usarlo al posto di cui (*Il libro del quale [di cui] mi parli l'ho letto due volte / Il motivo per il quale [per cui] non vengo, lo conosci benissimo*).

● **cui**

È invariabile ed è sempre preceduto da una preposizione semplice (*È questo il libro di cui ti parlavo ieri / La sedia su cui sei seduto non è molto sicura*).

Quando è preceduto dalla preposizione a, possiamo anche non metterla (*La professoressa (a) cui abbiamo fatto il regalo, insegna matematica*).

A volte cui può essere preceduto dall'articolo determinativo (il, la, i, le), articolo che concorda in genere e numero con il sostantivo che segue. Si usa in ambito letterario ed esprime possesso, ha il significato del pronome relativo del quale (*Gianni Rodari, le cui favole* [le favole del quale, di Rodari] *sono state tradotte in tutto il mondo, muore nel 1980*).

L'avverbio **dove** ha valore di pronome relativo quando collega due proposizioni (*Andiamo in un ristorante dove [in cui/nel quale] preparano dei piatti molto buoni*).

I pronomi doppi
Tra i pronomi relativi dobbiamo ricordare anche altri pronomi, detti pronomi doppi (dimostrativi-relativi e indefiniti-relativi):

● **chi**

È invariabile, lo usiamo in riferimento soltanto a persone e sostituisce quello che (*colui che*) / quella che (*colei che*) / la persona che (*Conosco chi [la persona che] può aiutarci a trovare una soluzione al nostro problema*).

● **quanto**

È invariabile, lo usiamo in riferimento soltanto a cose e sostituisce (tutto) quello che / ciò che (*Ti ringrazio per quanto [tutto quello che] hai fatto per me. / Non credo che possiamo comprare un nuovo appartamento, non possò pagare quanto [ciò che] ci hanno chiesto*).

● **quanti / quante**

Li usiamo in riferimento soltanto a persone e sostituiscono (tutti) quelli che / (tutte) quelle che / coloro che (*Quanti [Tutti quelli che / Coloro che] desiderano maggiori informazioni possono visitare il nostro sito*).

Nello stesso significato di quanti/e possiamo usare **chiunque** con il verbo però al singolare (*Chiunque [Tutti quelli che / Tutti coloro che / Qualunque persona che] desideri maggiori informazioni può visitare il nostro sito*).

Il pronome relativo che, preceduto dall'articolo determinativo il (**il che**), lo usiamo per sostituire un'intera frase e ha il significato di ciò, cosa che (*Sono due giorni che il mio gatto non mangia, il che mi preoccupa*). Oltre che dall'articolo determinativo, può essere preceduto da una preposizione articolata (*Ho vinto il concorso e ho avuto il lavoro, del che sono molto soddisfatto*).

Costruzioni *stare* + gerundio e *stare per* + infinito
Si tratta di costruzioni perifrastiche, le usiamo per esprimere un aspetto specifico dell'azione e solo quando abbiamo un tempo semplice (presente, imperfetto ecc.).

● **stare + gerundio**

Esprime l'aspetto progressivo di un'azione, indica un'azione in corso. Si forma con *stare* al tempo desiderato + gerundio presente* (*-Cosa fai Luigi? -Sto scrivendo il mio curriculum perché voglio cambiare lavoro*).

> *● verbi in *-are* → *-ando*: lavorare → lavorando*
> ● verbi in *-ere* → *-endo*: leggere → leggendo*
> ● verbi in *-ire* → *-endo*: uscire → uscendo*
> ● verbi irregolari: *bere* →*bevendo*; *dire* → *dicendo*; *fare* → *facendo*

● **stare per + infinito**

Esprime un'azione che inizierà in un futuro immediato, un'azione che sta per accadere. (*Il treno sta per partire, corriamo se non vogliamo perderlo*).

181

Unità 3

I verbi farcela e andarsene

Farcela e *andarsene* sono due verbi pronominali.

- Farcela ha il significato di riuscire a fare qualcosa, essere in grado di fare qualcosa (*Ho tanto da lavorare, ma spero di farcela a venire alla tua festa domani sera*).
- Andarsene ha il significato di allontanarsi da un luogo, lasciare un luogo per andare in un altro (*Ragazzi, perché ve ne andate?*) oppure in senso metaforico, figurativo, ha il significato di morire (*Mio nonno se n'è andato a novant'anni*).

	FARCELA	**ANDARSENE**
io	**ce la** faccio	**me ne** vado
tu	**ce la** fai	**te ne** vai
lui, lei, Lei	**ce la** fa	**se ne** va
noi	**ce la** facciamo	**ce ne** andiamo
voi	**ce la** fate	**ve ne** andate
loro	**ce la** fanno	**se ne** vanno

Comparazione tra due nomi o pronomi

Per fare un confronto fra due nomi o pronomi usiamo il:

- **comparativo di maggioranza**

Mettiamo più prima dell'aggettivo o dopo il verbo e di davanti al secondo nome o pronome (*Giorgio è più studioso di Mario / Giorgio studia più di me*).

- **comparativo di minoranza**

Mettiamo meno prima dell'aggettivo o dopo il verbo e di davanti al secondo nome o pronome (*Maria è meno simpatica di Anna / Mario studia meno di Giorgio*).

- **comparativo di uguaglianza**

Mettiamo tanto/così (ma si possono anche non mettere) prima dell'aggettivo e quanto/come davanti al secondo nome o pronome (*Giorgio è (tanto) studioso quanto me / Maria è (così) bella come Anna*). Oppure mettiamo tanto (ma si può anche non mettere) dopo il verbo e quanto davanti al secondo nome o pronome (*Giorgio studia (tanto) quanto me*).

Comparazione tra due aggettivi, verbi o quantità

Per fare un confronto fra due aggettivi, verbi o quantità usiamo che e NON di*:

- se il confronto è tra due aggettivi che si riferiscono alla stessa persona o cosa (*Maria più che bella è simpatica / Maria è più/meno simpatica che bella*).
- se il confronto è tra due verbi all'infinito (*È più facile spendere che guadagnare*).
- se il confronto è tra due nomi (*Nella mia classe ci sono meno ragazze che ragazzi*).
- quando il primo e il secondo nome o pronome sono preceduti da una preposizione (*In inverno sono più triste che in estate / Sul tuo conto corrente ci sono più soldi che sul mio!*).

* Questo riguarda solo il comparativo di maggioranza e di minoranza; quello di uguaglianza rimane invariato: *Maria è tanto simpatica quanto bella / Nella mia classe ci sono tante ragazze quanti ragazzi / È utile tanto imparare l'italiano quanto imparare il tedesco.*

Superlativo relativo

Usiamo il superlativo relativo per indicare una qualità al suo massimo o minimo grado in rapporto a un gruppo di persone o cose:

- **il/la/i/le + più/meno + aggettivo**

Il nome o pronome che rappresenta il gruppo (quando è espresso) è sempre preceduto da di o tra (*Roma è la città più grande d'Italia / Giorgio è il meno simpatico tra loro / Il mio cane è il più bello*).

- **articolo determinativo + nome + più/meno + aggettivo**

Il nome o pronome che rappresenta il gruppo (quando è espresso) è sempre preceduto da di o tra: *È l'uomo più ricco del paese / Hanno comprato la macchina meno costosa tra quelle in vendita / Louvre è il museo più visitato*).

Superlativo assoluto

Usiamo il superlativo assoluto per indicare una qualità al suo massimo grado. Di solito, si forma sostituendo la desinenza dell'aggettivo con il suffisso **-issimo/a/i/e** (*Stefania è gentilissima / Questo film è noiosissimo*).

Nella lingua italiana, però, ci sono altri modi per formare il superlativo assoluto:

- l'aggettivo è preceduto dagli avverbi molto, assai, tanto, parecchio, particolarmente ecc. (*Si tratta di una persona molto intelligente / Queste scarpe sono tanto costose che non posso comprarle*);
- l'aggettivo si ripete due volte (*Silvio camminava piano piano*);
- l'aggettivo è preceduto da un prefisso come arci-, ultra-, iper-, stra-, extra-, super- (*Sono arcistufo di questa situazione*);
- l'aggettivo è preceduto da un altro aggettivo che lo rafforza (*Andrea è innamorato cotto / Sono stanco morto*).

Forme particolari di comparativo e di superlativo

Alcuni **aggettivi**, oltre alle forme regolari di comparativo e di superlativo, presentano una forma irregolare che è molto usata:

Aggettivo	Comparativo di maggioranza		Superlativo assoluto	
buono	più buono	migliore	buonissimo	ottimo
cattivo	più cattivo	peggiore	cattivissimo	pessimo
grande	più grande	maggiore	grandissimo	massimo
piccolo	più piccolo	minore	piccolissimo	minimo

Ricordiamo anche alcuni comparativi, sempre di derivazione latina, a cui non corrisponde in realtà nessun aggettivo: anteriore (che sta davanti), posteriore (che sta dopo), superiore (che sta più in alto; superlativo: *supremo, sommo*) inferiore (che sta più in basso; superlativo: *infimo*). In genere, sono seguiti dalla preposizione a e NON di (*Verga è uno scrittore posteriore a Leopardi / L'appartamento del piano superiore è abitato dai miei zii / Non vorrei guadagnare uno stipendio inferiore ai mille euro*)

In realtà si tratta di comparativi che, a volte, hanno assunto con il tempo altri significati: ad esempio, superiore può significare *migliore* (*Si tratta di una stoffa superiore alle altre*) e inferiore può significare *meno buono*.

Anche gli **avverbi** (non tutti) possono avere il comparativo e il superlativo:
● comparativo di maggioranza / di minoranza
Come negli aggettivi, si forma con più/meno: *più vicino, meno spesso* ecc.
● superlativo assoluto
Si forma aggiungendo -issimo agli avverbi semplici: *prestissimo, lontanissimo* ecc.
Vediamo ora il comparativo e il superlativo degli avverbi molto, poco, bene, male:

Avverbi	Comparativo di maggioranza	Superlativo assoluto
molto	più	moltissimo
poco	meno	pochissimo
bene	meglio	benissimo
male	peggio	malissimo

Unità 4

Passato remoto

È un tempo verbale che indica un'azione lontana, che non ha conseguenze sul presente mentre si parla o si scrive (*Roma divenne capitale d'Italia nel 1871*).

	1ª coniugazione (-are)	2ª coniugazione (-ere)	3ª coniugazione (-ire)
	AND**ARE**	CRED**ERE**	CAP**IRE**
io	and**ai**	cred**ei** (cred**etti**)	cap**ii**
tu	and**asti**	cred**esti**	cap**isti**
lui, lei, Lei	and**ò**	cred**è** (cred**ette**)	cap**ì**
noi	and**ammo**	cred**emmo**	cap**immo**
voi	and**aste**	cred**este**	cap**iste**
loro	and**arono**	cred**erono** (cred**ettero**)	cap**irono**

Il passsato remoto è usato spesso nella lingua scritta, soprattutto nelle biografie, nelle favole, nei fumetti e nei racconti storici e letterari (*Luciano Pavarotti nacque a Modena il 12 ottobre del 1935 / Allora, entrò in bottega un vecchietto, il quale aveva nome Geppetto*).

Nella lingua parlata, è usato nell'Italia del Sud e parte del Centro Italia, ma in realtà viene sostituito sempre più dall'uso del passato prossimo. A volte, usiamo il passato remoto per esprimere un'azione passata, anche recente, ma dalla quale abbiamo e vogliamo prendere una certa distanza, non solo nel tempo, ma anche psicologica ed emotiva (*Sabato scorso non andai a cena da Roberto perché non mi è molto simpatico / Sabato scorso non sono andata a cena da Roberto perché ho finito di lavorare molto tardi*).

Verbi irregolari al passato remoto

accorgersi: *mi accorsi, ti accorgesti, si accorse, ci accorgemmo, vi accorgeste, si accorsero*
assumere: *assunsi, assumesti, assunse, assumemmo, assumeste, assunsero*
avere: *ebbi, avesti, ebbe, avemmo, aveste, ebbero*
bere: *bevvi, bevesti, bevve, bevemmo, beveste, bevvero*
cadere: *caddi, cadesti, cadde, cademmo, cadeste, caddero*
chiedere: *chiesi, chiedesti, chiese, chiedemmo, chiedeste, chiesero* / chiudere: *chiusi, chiudesti, ...* / decidere: *decisi, decidesti, ...* / escludere: *esclusi, escludesti, ...* / perdere: *persi (perdetti), perdesti, ...* / ridere: *risi, ridesti, ...* / succedere: *successi (succedetti), succedesti, ...*
cogliere: *colsi, cogliesti, colse, cogliemmo, coglieste, colsero* / scegliere: *scelsi, scegliesti, ...* / togliere: *tolsi, togliesti, ...*
condurre: *condussi, conducesti, condusse, conducemmo, conduceste, condussero*
conoscere: *conobbi, conoscesti, conobbe, conoscemmo, conosceste, conobbero*
convincere: *convinsi, convincesti, convinse, convincemmo, convinceste, convinsero* / vincere: *vinsi, vincesti, ...*
correre: *corsi, corresti, corse, corremmo, correste, corsero*
dare: *diedi (detti), desti, diede (dette), demmo, deste, diedero (dettero)*
difendere: *difesi, difendesti, difese, difendemmo, difendeste, difesero* / nascondere: *nascosi, nascondesti, ...* / prendere: *presi, prendesti, ...* / rendere: *resi, rendesti, ...* / rispondere: *risposi, rispondesti, ...* / scendere: *scesi, scendesti, ...* / spendere: *spesi, spendesti, ...*
dirigere: *diressi, dirigesti, diresse, dirigemmo, dirigeste, diressero*
dire: *dissi, dicesti, disse, dicemmo, diceste, dissero*
discutere: *discussi, discutesti, discusse, discutemmo, discuteste, discussero*
distruggere: *distrussi, distruggesti, distrusse, distruggemmo, distruggeste, distrussero* / leggere: *lessi, leggesti, ...* / proteggere: *protessi, proteggesti, ...*
esprimere: *espressi, esprimesti, espresse, esprimemmo, esprimeste, espressero*
essere: *fui, fosti, fu, fummo, foste, furono*
fare: *feci, facesti, fece, facemmo, faceste, fecero*
giungere: *giunsi, giungesti, giunse, giungemmo, giungeste, giunsero* / piangere: *piansi, piangesti, ...*
mettere: *misi, mettesti, mise, mettemmo, metteste, misero*
muovere: *mossi, muovesti (movesti), mosse, muovemmo (movemmo), muoveste (moveste), mossero*
nascere: *nacqui, nascesti, nacque, nascemmo, nasceste, nacquero* / piacere: *piacqui, piacesti, ...* / tacere: *tacqui, tacesti, ...*
porre: *posi, ponesti, pose, ponemmo, poneste, posero*
rimanere: *rimasi, rimanesti, rimase, rimanemmo, rimaneste, rimasero*
risolvere: *risolsi, risolvesti, risolse, risolvemmo, risolveste, risolsero*
rompere: *ruppi, rompesti, ruppe, rompemmo, rompeste, ruppero*
sapere: *seppi, sapesti, seppe, sapemmo, sapeste, seppero*
scrivere: *scrissi, scrivesti, scrisse, scrivemmo, scriveste, scrissero*
stare: *stetti, stesti, stette, stemmo, steste, stettero*
tenere: *tenni, tenesti, tenne, tenemmo, teneste, tennero*
trarre: *trassi, traesti, trasse, traemmo, traeste, trassero*
vedere: *vidi, vedesti, vide, vedemmo, vedeste, videro*
venire: *venni, venisti, venne, venimmo, veniste, vennero*
vivere: *vissi, vivesti, visse, vivemmo, viveste, vissero*
volere: *volli, volesti, volle, volemmo, voleste, vollero*

Numeri romani

Nei numeri romani abbiamo sette caratteri che sono ripetuti e combinati tra loro in vari modi:

I = 1   V = 5   X = 10   L = 50   C = 100   D = 500   M = 1000

I numeri romani non hanno lo zero (0), non possono rappresentare quantità negative (-12) e neppure decimali (1,5). Si tratta di un sistema a legge additiva (*CD [400]+XL [40]+IV [4]=444*) e i numeri sono posti sempre da sinistra verso destra in ordine decrescente:

- soltanto i simboli I, X, C si possono sottrarre (*CDXLIV = 444*);
- i simboli I, X, C, M possono essere ripetuti al massimo tre volte (*XXX = 30*);
- i simboli V, L, D non si ripetono mai (*XLIX = 49*).

In base a queste regole il numero più alto che si può scrivere con i numeri romani è MMMCMXCIX (*3.999*). Per questo i romani usavano delle linee per indicare che il numero veniva moltiplicato per 1.000 ($\overline{CCL}$) o per 100.000 ($\overline{|CCL|}$).

Se i numeri arabi (1, 2, 3 ecc.) li usiamo per la numerazione cardinale (uno, due, tre ecc.), i numeri romani li usiamo spesso nella numerazione ordinale (primo, secondo, terzo ecc.).
In genere, usiamo i numeri romani:

- per indicare i secoli (*Anche se siamo nel XXI secolo, ci sono ancora molte ingiustizie nel mondo*).
- per indicare sovrani, papi ecc. (*Vittorio Emanuele II fu il primo re d'Italia / Papa Benedetto XVI era tedesco*).
- per indicare le classi scolastiche (*Ivana frequenta la III media*).
- per indicare i capitoli dei libri o le scene di un'opera teatrale (*Il XXXVIII capitolo chiude* I Promessi sposi *di Alessandro Manzoni / La scena I dell'atto IV dell'*Aida *si svolge in una sala del palazzo del re*).
- per dare indicazioni bibliografiche: i singoli volumi, le annate delle riviste ecc.
- per indicare i paragrafi di una legge.

Trapassato remoto

Il trapassato remoto, formato dal passato remoto dell'ausiliare essere o avere + participio passato, non si usa di frequente in quanto indica un evento concluso prima di un altro sempre espresso dal passato remoto. È sempre introdotto dalle congiunzioni temporali: quando, dopo che, appena, non appena (*Dopo che furono partiti, ci accorgemmo che avevano dimenticato una valigia* / *Non appena l'esercito ebbe lasciato il paese, tutti cominciarono a festeggiare*).

Gli avverbi di modo

Gli avverbi di modo indicano il modo in cui avviene l'azione espressa dal verbo oppure aggiungono un elemento qualificativo alla parola cui si riferiscono. Rispondono alla domanda *come? in che modo?*
Formiamo gli avverbi di modo

- aggiungendo il suffisso -mente agli aggettivi femminili singolare che terminano in -a (*libera - liberamente* / *lenta - lentamente*) o che terminano in -e (*veloce - velocemente* / *intelligente - intelligentemente*). Naturalmente ci sono delle eccezioni (*leggera - leggermente* / *violenta - violentemente*). Se l'aggettivo termina in -le o in -re, la -e viene eliminata (*facile - facilmente* / *particolare - particolarmente* / *terribile - terribilmente*).
- con il maschile singolare dell'aggettivo qualificativo (*Parla chiaro!* / *Vieni presto!* / *Vada dritto!* / *Faccia piano!*).
- con alcuni avverbi di origine latina (*Fabio si è comportato bene, ma suo fratello si è comportato male* / *Abiterei volentieri in questa ciittà* / *Non andiamo insieme in vacanza perché io non posso prendere le ferie ecc.*).
- con varie locuzioni avverbiali, cioè gruppi di parole che hanno una funzione avverbiale (*Alberto lo ha detto per scherzo, non voleva offenderti* / *Per fortuna abbiamo trovato la strada e non ci siamo persi* / *Vai di corsa dalla mamma!* / *Abbiamo avuto dei problemi e non siamo andati a Praga, ma il mese prossimo ci andremo di sicuro ecc.*).

Unità 5

Congiuntivo presente

	1ª coniugazione (-are)	2ª coniugazione (-ere)	3ª coniugazione (-ire)	
	PARLARE	PRENDERE	PARTIRE*	FINIRE**
io	parli	prenda	parta	finisca
tu	parli	prenda	parta	finisca
lui, lei, Lei	parli	prenda	parta	finisca
noi	parliamo	prendiamo	partiamo	finiamo
voi	parliate	prendiate	partiate	finiate
loro	parlino	prendano	partano	finiscano

Come possiamo osservare, le prime tre persone (*io, tu, lui/lei/Lei*) sono uguali, quindi è meglio usare i pronomi personali soggetto (*È meglio che tu prenda l'autobus A11 per il centro*). Inoltre, la coniugazione dei verbi in *-ere* è uguale alla coniugazione dei verbi in *-ire*.

Particolarità dei verbi della I coniugazione

- I verbi che finiscono in -care e -gare prendono una -h- tra la radice del verbo e le desinenze (cercare = cerchi, cerchi, cerchi, cerchiamo, cerchiate, cerchino / spiegare = spieghi, spieghi, spieghi, spieghiamo, spieghiate, spieghino).
- I verbi che finiscono in -ciare e -giare non raddoppiano la -i- (cominciare > cominci (e NON comincii), ecc. / mangiare > mangi (e NON mangii), ecc.).

Congiuntivo presente di essere e avere

	ESSERE	AVERE
io	sia	abbia
tu	sia	abbia
lui, lei, Lei	sia	abbia
noi	siamo	abbiamo
voi	siate	abbiate
loro	siano	abbiano

Congiuntivo passato

Il congiuntivo passato è formato dall'ausiliare essere o avere al congiuntivo presente + il participio passato del verbo:
Il congiuntivo passato esprime anteriorità temporale rispetto al momento presente indicato nella frase principale (*È facile che Luca e Giovanni non siano venuti perché dormono ancora* / *Penso che Rita abbia fatto bene ad accettare l'offerta di lavoro*).

	avere + *participio passato*	*essere* + *participio passato*
io	abbia parlato	sia andato/a
tu	abbia parlato	sia andato/a
lui, lei, Lei	abbia parlato	sia andato/a
noi	abbiamo parlato	siamo andati/e
voi	abbiate parlato	siate andati/e
loro	abbiano parlato	siano andati/e

Verbi irregolari al congiuntivo presente

Infinito	Congiuntivo presente			
andare	*vada*	*andiamo*	*andiate*	*vadano*
bere	*beva*	*beviamo*	*beviate*	*bevano*
dare	*dia*	*diamo*	*diate*	*diano*
dire	*dica*	*diciamo*	*diciate*	*dicano*
dovere	*debba*	*dobbiamo*	*dobbiate*	*debbano*
fare	*faccia*	*facciamo*	*facciate*	*facciano*
morire	*muoia*	*moriamo*	*moriate*	*muoiano*
piacere	*piaccia*	*piacciamo*	*piacciate*	*piacciano*
porre	*ponga*	*poniamo*	*poniate*	*pongano*
potere	*possa*	*possiamo*	*possiate*	*possano*
rimanere	*rimanga*	*rimaniamo*	*rimaniate*	*rimangano*
salire	*salga*	*saliamo*	*saliate*	*salgano*
sapere	*sappia*	*sappiamo*	*sappiate*	*sappiano*
scegliere	*scelga*	*scegliamo*	*scegliate*	*scelgano*
sedere	*sieda*	*sediamo*	*sediate*	*siedano*
stare	*stia*	*stiamo*	*stiate*	*stiano*
tenere	*tenga*	*teniamo*	*teniate*	*tengano*
togliere	*tolga*	*togliamo*	*togliate*	*tolgano*
tradurre	*traduca*	*traduciamo*	*traduciate*	*traducano*
udire	*oda*	*udiamo*	*udiate*	*odano*
uscire	*esca*	*usciamo*	*usciate*	*escano*
venire	*venga*	*veniamo*	*veniate*	*vengano*
volere	*voglia*	*vogliamo*	*vogliate*	*vogliano*

Uso del congiuntivo

Il congiuntivo è il modo con il quale il parlante esprime un dubbio, un'incertezza, un'opinione soggettiva. Al contrario dell'indicativo che rappresenta il modo della realtà e della certezza.

Il congiuntivo presente (e passato) lo usiamo soprattutto nelle **frasi secondarie**, dipendenti da una principale (cioè due proposizioni con due soggetti diversi), quando:

● il verbo della proposizione principale esprime un'opinione soggettiva, che può essere una supposizione, un'incertezza ecc.: credere, dubitare, giudicare, immaginare, negare, pensare, prevedere, ritenere, sembrare, supporre ecc. (*Credo/Immagino/Penso/Ritengo che Antonio non sia voluto venire perché non gli piace la mia compagnia / Mi sembra che Sandra parta con il treno delle otto / Dubito che tu riesca a finire questo lavoro prima di sera*).

Nella proposizione principale possiamo trovare anche un'espressione: avere l'impressione che, avere il dubbio che, avere il sospetto che, l'opinione è che, l'ipotesi è che ecc. (*Ho l'impressione che tu non mi stia dicendo la verità / L'opinione di tutti è che Stefano abbia sbagliato a comportarsi in quel modo*).

● il verbo della proposizione principale esprime un atto di volontà, che può essere una preghiera, un ordine, una richiesta ecc.: chiedere, decidere, domandare, fare, impedire, lasciare, ordinare, pregare, preoccuparsi, proporre, suggerire ecc. (*Luisa chiede al professore che le spieghi di nuovo il congiuntivo / Farò di tutto affinché possa venire anche Sandra in vacanza con noi / Lascia che sia lui a decidere cosa fare*).

Nella proposizione principale possiamo trovare anche un'espressione: avere bisogno che, c'è bisogno che, il consiglio è che, il desiderio è che, la regola è che, lo scopo è che ecc. (*C'è bisogno che resti qualcuno qui con Filippo / Il mio unico desiderio è che tu venga a vivere da me / Lo scopo del viaggio è che i ragazzi conoscano nuove culture*).

● il verbo della proposizione principale esprime uno stato d'animo, che può essere un desiderio, una speranza, un augurio, un dispiacere, una paura ecc.: aspettare, augurare, augurarsi, desiderare, dispiacere, dispiacersi, preferire, sperare, temere, volere ecc. (*Aspettiamo che finisca lo spettacolo per andare via / Mi auguro che tu ci sia domani / Temo che Carla abbia perso il treno / Non voglio che tu dica bugie*).

Nella proposizione principale possiamo trovare anche un'espressione: avere voglia che, avere il desiderio che, avere paura che, fare finta che, avere speranza che, c'è speranza che ecc. (*Non ho nessuna voglia che tu venga con noi* / *Abbiamo paura che il regalo non gli sia piaciuto* / *Fai finta che lui non ci sia e divertiti!*).

- abbiamo un verbo impersonale nella proposizione principale: bisogna/occorre che, può darsi che, si dice che, dicono che, pare/sembra che (*Si dice che per mantenersi in forma sia meglio seguire un'alimentazione equilibrata*).

- abbiamo un'espressione impersonale (verbo *essere* + aggettivo + che) nella proposizione principale: è necessario/importante che, è opportuno/giusto che, è meglio che, è normale/naturale/logico che, è strano/incredibile che, è possibile/impossibile che, è probabile/improbabile che, è facile/difficile che, è preferibile che (*È normale che Paola non ti voglia più vedere, questa volta hai proprio esagerato*). Ma anche è un peccato che, è ora che, è bene che (*È un peccato che non siate venuti alla festa di Marco, ci siamo divertiti tanto*).

- il verbo al congiuntivo si lega alla frase principale perché preceduto da una congiunzione o locuzione subordinata: benché, sebbene, nonostante, malgrado (*Questo tempo è proprio strano: malgrado ci sia il sole, continua a piovere* / *Nonostante/Sebbene abbia detto la verità, non mi ha creduto nessuno*); purché, a patto che, a condizione che, basta che (*Ti presto questi soldi a patto che/a condizione che/purché tu me li restituisca alla fine del mese*); senza che, (*È stato arrestato dalla polizia senza che abbia fatto nulla*); nel caso (in cui) (*Nel caso in cui abbiate già pagato il prodotto, ignorate questa email*); affinché, perché (*Ho regalato a Francesca una bicicletta affinché/perché faccia un po' di movimento*); prima che (*Andiamo via prima che finisca il film*); a meno che, fuorché, tranne che, salvo che (*Posso credere a tutto, fuorché/salvo che/tranne che tu abbia trovato lavoro*).

- la proposizione subordinata è una relativa e il verbo al congiuntivo è preceduto da un superlativo relativo (*È la persona più sincera che io abbia conosciuto*).

- la proposizione subordinata è una relativa che esprime uno scopo (*Il direttore cerca una segretaria che conosca bene tre lingue*), una conseguenza (*Questo non è un film che tu possa vedere*).

- la subordinata si lega alla frase principale grazie a un aggettivo o un pronome indefinito: chiunque, qualsiasi, qualunque, (d)ovunque, comunque, l'unico/il solo che, nessuno che (*Qualunque cosa tu decida, io ti aiuterò* / *Nella nostra famiglia, il solo che faccia sport è Alfredo* / *In questa città, non c'è nessuno che sappia dov'è il Duomo?*).

- la proposizione subordinata è un'interrogativa indiretta (*Mi sono sempre chiesto chi abbia raccontato la verità a Luca*).

- per dare una certa enfasi, invertiamo l'ordine naturale delle proposizioni e la frase subordinata introdotta da che, precede la proposizione principale che usa, in genere, i verbi sapere e dire. In questo caso, notiamo l'uso del pronome diretto lo che svolge la funzione di ripetere l'intera frase subordinata (*Che il fumo faccia male, lo sanno tutti* [Tutti sanno che il fumo fa male] / *Che lui sia bello, lo dicono tutti* [Tutti dicono che lui è bello]).

Il congiuntivo presente (e passato) lo usiamo in **frasi indipendenti**, anche se il suo uso non è molto frequente, quando:

- abbiamo una domanda dubitativa, che esprime cioè un dubbio o una supposizione, introdotta spesso da che o/e dal verbo essere (*Che sia Rossella?* / *I ragazzi sono in ritardo. Che abbiano trovato traffico?*).

- la frase esprime un ordine indiretto, un invito, una preghiera (*Signora, si accomodi, per favore. L'avvocato arriverà tra poco* / *Per il cinema Ariston prenda la prima a destra* / *Che mi telefoni pure, sarò a casa!* / *Non abbia paura!*).

- la frase esprime un desiderio, un augurio, una maledizione. In genere, in questo caso il congiuntivo è accompagnato da che, almeno, se, voglia il cielo che (*Voglia il cielo che tu possa trovare lavoro* / *Che vada al diavolo!*).

La concordanza dei tempi del congiuntivo

Con il verbo al presente nella frase principale, la frase secondaria esprime:
- posteriorità con il congiuntivo presente o l'indicativo futuro semplice (*Credo che Giulia torni/tornerà domani*).
- contemporaneità con il congiuntivo presente (*Credo che Giulia torni oggi*).
- anteriorità con il congiuntivo passato (*Credo che Giulia sia tornata ieri*).

Quando non usare il congiuntivo

Non usiamo il modo congiuntivo quando:
- abbiamo identità di soggetto, cioè quando il soggetto della frase principale e di quella secondaria è lo stesso, e usiamo la costruzione di + infinito (*Sono felice di venire in Italia* [stesso soggetto] - *Io sono felice che tu venga in Italia* [soggetto diverso]).
- abbiamo verbi impersonali che esprimono necessità non seguiti dal che ma da un verbo all'infinito. (*Bisogna fare presto* - *Bisogna che tu faccia presto*).
- abbiamo espressioni impersonali: è + aggettivo + verbo all'infinito (*È meglio partire subito, altrimenti arriveremo in ritardo* - *È meglio che tu parta subito, altrimenti arriverai in ritardo*).
- abbiamo espressioni come secondo me, forse, probabilmente (*Probabilmente resterò in Italia tre mesi* / *Non lo so, forse è stato Massimo a spedire questa email*).
- abbiamo congiunzioni come anche se, poiché, dopo che (*Anche se piove, noi andiamo lo stesso al lago* / *Dopo che ebbero comprato la macchina nuova, fecero un viaggio in Europa*).

Unità Sezione	Elementi comunicativi e lessicali	Elementi grammaticali

Unità 5   *Stare bene*   pag. 69

A Sei troppo stressato!	Dare dei consigli per mantenersi in forma e stare bene	Congiuntivo presente Congiuntivo passato
B Fa' come vuoi!	Permettere, tollerare	Congiuntivo presente: verbi irregolari
C Come mantenersi giovani	Parlare delle proprie abitudini in relazione al viver sano	Uso del congiuntivo I
D Viva la salute!		Uso del congiuntivo II Concordanza dei tempi del congiuntivo
E Attenti allo stress!	Parlare dello stress e delle cause che lo provocano	Alcuni dubbi sull'uso del congiuntivo
F Vocabolario e abilità	Discipline sportive	

Conosciamo l'Italia:
Lo sport in Italia. Gli sport più amati e praticati dagli italiani.

Materiale autentico
Intervista audio all'istruttore di una palestra (D2)
Testo da *Il secondo diario minimo* di Umberto Eco: "Come non parlare di calcio" (E6)

Indice del CD audio 1

CD 1 Durata: 42'11"

Unità Prima di... cominciare

| 1 | 1a. (1, 2, 3, 4, 5, 6, 7, 8) | [1'51"] |

Unità 1

2	Per cominciare 2	[1'44"]
3	B1 (a, b, c, d)	[1'13"]
4	C1	[1'06"]
5	D1	[0'50"]
6	Quaderno degli esercizi	[2'10"]

Unità 2

7	Per cominciare 3	[1'30"]
8	B2 (a, b, c, d)	[1'09"]
9	E2	[2'29"]
10	Quaderno degli esercizi	[3'43"]

Unità 3

11	Per cominciare 3	[1'45"]
12	C2	[0'42"]
13	C3	[1'59"]
14	Quaderno degli esercizi	[3'19"]

Unità 4

15	Per cominciare 3	[1'45"]
16	B1 (a, b, c, d, e)	[1'01"]
17	Quaderno degli esercizi	[2'38"]

Unità 5

18	Per cominciare 1	[1'02"]
19	Per cominciare 3	[1'31"]
20	B1 (1, 2, 3, 4, 5)	[1'22"]
21	D2	[2'59"]
22	E3 (a, b, c, d)	[2'23"]
23	Quaderno degli esercizi	[1'52"]

È possibile ascoltare le tracce del CD audio anche in streaming sul sito di Edilingua (materiali per studenti).

Nuovo Progetto italiano 2a si può integrare con:

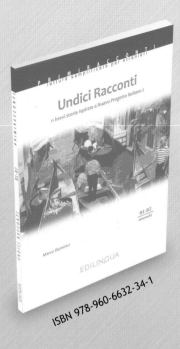

Undici Racconti, ispirandosi alle situazioni di *Nuovo Progetto italiano 2*, approfondisce gli argomenti trattati nel manuale e ne reimpiega il lessico. Ciascun raccontino presenta un utile mini-glossario a piè di pagina ed è accompagnato da alcune attività con relative chiavi.

ISBN 978-960-6632-34-1

Glossari interattivi

Un modo originale, efficace e divertente per imparare o consolidare il lessico!
Applicazioni gratuite per smartphone e tablet.

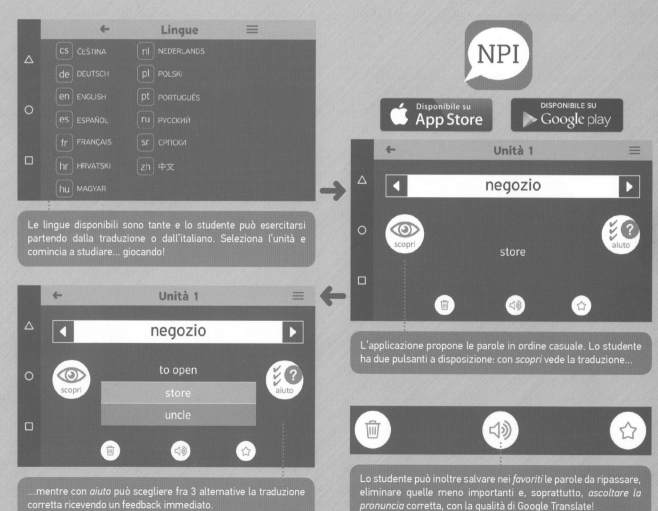

Le lingue disponibili sono tante e lo studente può esercitarsi partendo dalla traduzione o dall'italiano. Seleziona l'unità e comincia a studiare... giocando!

L'applicazione propone le parole in ordine casuale. Lo studente ha due pulsanti a disposizione: con *scopri* vede la traduzione...

...mentre con *aiuto* può scegliere fra 3 alternative la traduzione corretta ricevendo un feedback immediato.

Lo studente può inoltre salvare nei *favoriti* le parole da ripassare, eliminare quelle meno importanti e, soprattutto, *ascoltare la pronuncia* corretta, con la qualità di Google Translate!